愛を謳《うた》う

田辺聖子

JN264324

集英社文庫

この作品は、二〇〇二年十月世界文化社より刊行された
『iめぇ～る』を文庫化にあたり再編、改題したものです。

目次

I

II

III

愛を謳《うた》う

I

何のために生きるか――私の場合

人は何のために生きるか？　ということを私はいつも考えている。

私は人生を楽しむために生きるのだ、と思っている。

そして私の場合、楽しむことは人を愛すること、人に愛されること、にほかならぬのである。

仕事をするというのも、読者に愛されたいためであるように思われる。――つまり、私が美しいと思うこと、とびきりのユーモアと感じること、心をしびれさせる恋、悲しいこと、そんなもろもろの感動を、心一つに抑えがたくて書くことに対して、〈ほんと！　私もそう！〉と読者の方《かた》がいわれる、すると私は、〈そう？　あなたもそう思う？　そうでしょ！〉と勢いこんでいう、そんな感じの小説――〈私と一緒ねえ！〉と感動をわかちあうような小説を書きたいと思う。

小説を書くのは、そのために書くのである。

のである。

自分を理解してくれる人、自分を愛してくれる人を、一人でも多く得たいために書く

フランソワ・モーリヤックは若いころ、ブリュッセルのミュージック・ホールで、コレットを見た。コレットは美しい小説を書いてすでに一部にはみとめられた女流作家だったが、まだ文筆では食べてゆけず、ミュージック・ホールでパントマイムの踊り子をしていたのだった。コレットは美しく若くて、しなやかな体をしていた。しかし、その中身は、もっと美しく、けだかい価値があるのだった。

けれどもミュージック・ホールの観客は、彼女の中身については誰一人、その値打ちを知らず、野次や嗤《わら》い声でむくいた。モーリヤックは居たたまれない感じで、彼女に叫びたかった――「〈ぼくはあなたを知っています、あなたが誰であるかを知っています〉」。そしてモーリヤック青年は、「〈彼女のあらわな肩に自分の外套を着せかけて、人目につかない場所に連れて行きたい〉と思った」――

これは『コレット著作集』の月報にのっている、中島公子《こうこ》氏の話である。

私が小説を書くのも、〈僕は（或いは私は）あなたを知っています。あなたが誰であるかを知っています〉と叫んでくれる読者を得たいからなのである。

アランは、「幸福とは、自分の価値を知ってくれる人のそばにいることである」といった。

自分の何者であるかを知ってくれる人、その人を、自分も愛すること、それにまさる幸福は、ないように思われる。

そう思うとき、家庭の主婦というのは、何という幸福の条件にみちていることだろうか。夫・子どもという愛するもの、理解してくれるものにとりかこまれて……。

しかも、男を愛し、子どもを産み、巣作りをする、というのは、女にとっては、水が高い所から低い所へ流れるようなもので、ごく自然で、本能的で、無理のないことである。本能のままに生きて、それが幸福なのだ、ということは、何というすばらしい神のおくりものであろう、女に生まれたことは。

人によっては、女に生まれてソンだという。

果てしない煩雑な家事、乏しい家計のやりくりの辛《つら》さ、育児の心労を訴える。

しかし、そういう人は、男に生まれても、また、男の辛苦を訴えるのだ。そして女は楽なものだ、と女を非難し、おとしめるようにできているのだ。

愛して、愛されて、楽しんで、そして命の終わるとき、棺の中へはいりながら、

〈アア、楽しかった！〉

といえるような人生を、私は送りたいと思っている。生き残る人に、シッケイ！　と手をあげて、

〈楽しかったね〉

と握手して、またね、といえるような人生でありたいな、などと空想する。

＊

林芙美子《ふみこ》は珠玉のような、いい小説をたくさん残したすぐれた作家である。しかし、個人的には、晩年、ことに批判のマトになった人だった。——といっても私はもちろん林さんを知らない。けれども彼女には古い友人・知己の一部から、爪はじきされる、傲《ごう》岸不遜《がんふそん》なところがあり、敵もたくさん作ったということだ。しかし、林さんは昂然《こうぜん》として、平素、

〈作家は作品だけが生命よ。あとへ残るのは作品だけよ〉

とうそぶいていたそうだ。

戦後の林さんは、矢つぎ早にいい仕事をした。大衆にとても愛された。それだけに、個人的には、みずからを恃《たの》むあまり、周囲の人々のにくしみ、うらみを買う言動もあったのであろう。彼女の葬儀の日、あちらでもこちらでも、私語されていたことは、林さんの生前の仕打ちに対する恨みや非難であったという。

それかあらぬか、葬儀委員長の川端康成氏は、告別式の席上で〈故人の生前の不都合はこの際、水に流してやって下さい〉という意味の挨拶をされたそうだ。

作家は作品だけが生命だ、と作家自身も読者もよくいう。

作家自身がそう信じて、そのために生きているなら、それでいいだろうが、いい作品を書く人が、個人的には実にいやな奴《やつ》だったりするのは間々《まま》あることで、これも人間のふしぎさである。

また、実にいい人柄の人間であるが、書いたものは迫力なくつまらない作品、ということがあって、これも致し方のないことである。しかし、私は、まだしもあとの方をとる。

つまらない作品が売れなくなれば、生きるためには、ほかの仕事をさがせばよいだけだ。

まじめで丈夫でさえあれば、何とか命をつなぐことができる。そして、家族、友人など、愛するものに囲まれ、好きなことをして一生を送ればよい。たとえば私だと、ちょっぴりのお酒、季節の野菜やくだものや魚、いい景色、電話をかけることのできる母、毎晩お酒を一緒に飲んでおしゃべりできる夫、健康な娘たちがあれば、もうそれでよい。いまのところ、まだこれに仕事が加わるのだから、実にありがたいことといわなければならない。

私だったら、いくらいい作品が書けても、周囲の人にいやな奴、と思われたのでは、生きている楽しみがない。そういうことの方が耐えられない。

ただ、思うに、人間は、自分の拠《よ》り所《どころ》、自慢できるもの、自信のもてるものがないと生きていられない動物である。その拠り所の置き場所がちがっているだけである。

だから、いい作品を書く人は、そこに拠り所があり自信があるので、他はかえりみないのであろうし、私は作品に自信がなく、楽しく暮らす現世の生活に自信があるので、作品第二になってしまう。どっちも同じことだ。しかし、私個人でいえば、どんなに作品が立派でも、人柄のいやな奴とはつきあいたくないのである。

作品が残る残らないも、私にとっては無意味なことで、残ったとて、何の私がうれしかろう？　もうこの世に生きていない私が。

死後に残るか残らぬかは、人さまのおきめになることで、私の知ったこっちゃない。それより私は、おいしいお菓子を贈るような、楽しい作品を書きたい、と思ってるだけ。

この間、大阪のデパートで、サイン・パーティがあって、その時の本は『すべってころんで』だったけれど、美しい若いお嬢さんが一冊買って下さったついでに、

〈『窓を開けますか？』がとてもよかったワ〉

といわれた。

それは私には、〈あのお菓子、とっても美味《おい》しかったワ〉ときこえた。私は、そういう、作品の愛されかたをしたいので、嬉しさと満足で顔があかくなった。

そういう人の手もとで愛されれば、たとえ一冊二冊しか売れなくとも、作者としては本望である。何十万部出たとて何としょう。（もっとも出版社はともかく、係の編集者

に対しては売れた方がよいけれど。何故なら、どうしてか、私の本の係の方は、各社、偶然、ステキにいい人ばかり当たっていて、私は仕事のつきあいというよりお友達みたいに思うので、彼ら彼女らの努力に報いるには、本が一冊でも多く売れた方がいいのだ）

しかし本音をいうと、私は、〈美味しかったワ！〉という読者が二、三あれば、大よろこびしちゃうのである。実に単純である。そうやって、自分を愛してくれる人をたくさんふやすという、この欲望も女の本性みたいなもので、そういうことはやめろ、といわれても、それは私が女であることをやめろ、といわれるのと同じで、無理である。

*

つくづく思うに、（昔から人間というものはそうだが）ことに現代では、真の生きるよろこびというのは、愛すること、愛されること、しかないのである。

そして、私たちオトナが、これからの子どもに対して教えることは、人を愛することのできる人間になることだけである。

そういうと必ず、日本の社会制度や貧困、物価高、そんなものに言及して〈愛など、夢やタワゴトにすぎない〉といいののしる男や女がでてくるのだ。

日本ではまだ恋愛は市民権をもっていないから、一部の人の若いうちだけのこと、など考えている人が多い。もちろん、精神の自立や自我、プライドなしに、恋や愛はありえないから、誰もが自分の力で独立して、なにがしかの職業によって自活してゆくことは必要である。しかし現代は物が豊かなわりには生きにくいから、物価高や生活難に足をすくわれてしまう。そのことばかりに気をとられ、ついに一生終わってしまう。

それは非常に子どもっぽい生涯である。生活難や物質的関心で充たされてしまう心は、幼稚で単一なものである。そして、恋や愛について考えることのできるオトナには、なかなか、育たない。

日本人の精神的風土には恋も愛も育たないという人もあれば、いや、愛を表現するのが不器用でてれくさがりなんだともいう。しかし『万葉集』に表れている庶民の大胆率直な恋愛謳歌《おうか》を見れば、本来は、愛も恋も育つことのできる心があるのだ。不器用ではなく、いまの人の心は無感動で、愛オンチなのだ。

ほんとうは、中年たちがみな、愛、結婚について一家言《いっかげん》をもつような社会にならなければいけないのに、いまの日本人、ことに中年のオトナは、「お金」についての一家言は持っているが、愛や恋についてはしゃべれないのだ。だから、まして若い人は、愛も恋も、その何たるかを知らず、お金さえあれば手に入るように思う。結婚の何たるかを知らず、適齢期を設けて、放し飼いの牛馬を柵に追いこむごとく、結婚のワクに追いこんだりする。

のさかしらな、したり顔の現実が、人の心の美しいものや、美味しいところの上に、のさばりかえっているような世界には、私はもうあきあきしてしまった。

売名欲、お金、羞恥心のない人、贅沢をしたいばかりに肉体をひさぐ女たち、エリートだとうぬぼれて、人を見くだすのに馴れた若い男、傲慢《ごうまん》で貪欲《どんよく》なお金持ち、ゆずるということも知らない、世間知らずの各種運動家、美しさということが、顔に浮かぶ表情や雰囲気だということを知らないで、パレットで絵の具をこねまわすように顔を厚く彩っている娘たち、もう、それらにもうんざりしてしまった。

そんなものは、私の考えている世界からみると、じつに取るにたらぬ、片々《へんぺん》たるゴミクズみたいなものだ。

どんな人だって、愛するものや愛されるものを一人も持たなければ、心は死んでしまう。

生きて、愛して、人生を楽しむこと、それがまず根本にあって、それを守るため政治も経済も法律もあるのである。お金も若さも美しさも、音楽も本も、そのためなのだ。今はもうみんな、ひっくり返ってしまった。本末転倒になっている。私としては、声を嗄《か》らしてメガホンで屋根の上から叫んでも、誰も聞いてくれないのだから仕方ない。もう、かくなる上は一々面倒を見ちゃいられない。私個人だけでも、そう生きるのだ。

まいにちの生活を大事にし、好きな人にかこまれ、チョコレートを楽しんだり、バラやレースの服を愛したりして、人生を終わるつもりだ。やさしい心くばりや、ものごとをなるべくユーモラスにとって、人をよく思おうとすること、愛や、やさしみを第一に考えない人生なんて、私には考えられない。

お金や、すぐうつろう若さの美しさなんか、どうでもいいことだ。こんなことはあんまり平凡すぎて、みんな、口に出すさえ気はずかしくなってしまった。だから、忘れられてしまったのだ。いくら気はずかしくても、人間が楽しく生きるためには、やっぱり言いつづけるべきだ。

それが、良識ある一人前のオトナのすることだ。

そしてやさしい思いやりや、愛や、恋を人生でいちばんたいせつにすることによって、残酷や無責任や傲慢、狡猾《こうかつ》を、告発することになれば、いちばんよい。

私はそれは、その人の事業や作品だけで成立するものでなく、その人の人生もふくめての、大きな作品であらねばならぬと思っている。

（『女が愛に生きるとき』一九七三年・講談社。初出は「家庭画報」一九七三年八月号）

ああせいこうせいお袋

このあいだ、私は母と電話で言い合いをした。母は七十六で、いまだにマンションでひとり住み、いろんな習いごとをし、交際好きで旅行好き（ヨーロッパは三べん、アメリカ、ハワイ等にも精力的に出かける）、目も見え、耳もきこえ、足も達者、口も達者、という、カクシャクたる意気さかんな老マダムである。そうしていまだに私に、〈ああせいこうせい〉と命令を下す。

私の仕事のことにまで口を入れる。

私は、昔はともかく、こちらも中年すぎているのだから、とりあわない。木で鼻をくくる返事をする。私が『女の長風呂』というエッセーを書いたのはもう十年も前であったが、そのときもお袋は人から、こうこういうことが書いてありました、と話を聞いたとみえ、さっそく、

〈恰好わるい、もう町をあるけない、へンなものを書かないでほしい〉

と電話でどなりこんできた。出版社が私の本の広告に「エロチック・エッセー」なんて書いていたからである。

なに、そういう仰々《ぎょうぎょう》しいものとちがう。私のはそんなお色けなんか、ありはしない。ほんのちょっと、やわらかめ、というだけである。しかしお袋にそんなことをいっても通じない。

新聞に私の笑っている写真が載った。

〈口のあけ方がわるい〉と怒ってきた。

〈もっとマシな写真あれへんのかいな〉

私はタレントではないのだから、写真なんかどう写されようといい、と言い返す。

（本当はきれいにとられた写真が世上に流布《るふ》されることを祈っているのであるか、その本音《ほんね》をいうのはいさぎよしとしない、見栄がある）

また新聞の写真はことにぞんざいにとられた写真がのるような気がする。自分でも女詐欺師《さぎし》みたいに写っている、と内心クヨクヨしているのであるが、お袋にそういわれると腹がたつわけである。

お袋は私が『文車《ふぐるま》日記』など書くと、ご機嫌がいいわけである。

〈ああいう本なら品も良くて、ヒトさまにもおつかいものにできる〉

お中元の石鹸なみにいう。

私がお袋の権威に服していたのはせいぜい結婚までであった。それでも結婚がおそかったから、かなり長いことお袋といた勘定になる。相手に係累が多い、というので、お袋は結婚に大反対であった。私はまだ芥川賞をもらったばかりで仕事が忙しくなり、どうでも結婚したいというのではなかったが、お袋に反対されると、してもよい、という気になった。

　そのころ美空ひばりは小林旭と結婚して、たしか二年くらいで離婚したが、小林旭がくやし泣きに泣いているニュース写真があり、事情は分からぬながら、美空ひばりはどうやら夫より母親をとったようである。人それぞれとはいうものの、私ならお袋より夫をとるなあ、と思ったりした。

　そう思うのは、それだけお袋と私のつながりが強固だったので、その反動かもしれない。弟も妹も結婚して家を出ていたから、私とお袋と二人ぐらし、物を書く女にとってこれほど最適の環境はないのである。男性作家が、奥さんに家事を任せて仕事に専念されるように、独身の女の物書きはお袋に家の雑用を任せて、奥さんがわりに使うのが一番便利なのだ。

　しかし私は、そういう生活より、夫をとった。夫との生活の方が「展望」がきくし、オモシロそうだったからで、そのへんから、お袋コンプレックスを脱しはじめていたのだろう。

なんでそう密着していたかというと、私のウチは昭和二十年以来母子家庭で、終戦のトシの十二月に父が死んで以来、あの敗戦後の混乱時代を、四十になるやならずのお袋が三人の子供を育ててくれたのだ。六月の空襲で家は焼けて身一つであった。焼け跡で戦災者母子が生きのびるだけでも、たいへんな時代だったのだ。

しかし考えてみると、たいへんな時代だったから、かえって生きのびられた、ということもある。闇市《やみいち》で焼け残りの着物を売ろうが、ぼろを着て藷《いも》の買い出しにいこうが、誰も嗤《わら》うものはない。みなそれぞれが、生きのびるのに必死で、互いに人目を気にするひまもなかった。

また、女親だから、きりつめて節倹《せっけん》できたということもある。母と子の生活は、どんなにしてでも食いつなげるものだった。男なら家の外に息ぬきもほしかったろうし、酒・煙草などのささやかななぐさめも要《い》ったろう。しかし女は、子供たちとラジオ（むろん、テレビはまだない。ラジオもこわれかかったもので、音声がきれぎれに聞こえてくるだけだった）でも聴いて笑っていれば、たやすく充足できるのだ。男はそんなわけにいかない。

男というものは、とかく、オカネのかかる種族なのである。女がおしゃれに憂き身をやつして浪費するといって、女の方がオカネを食うと信じている男は多いが、ギリギリのところへくれば、女ほどカネのかからぬ種族はないのだ。

そんなわけで無一物《むいちもつ》、焼け出されの女世帯《おんなじょたい》で、やりくりしつつ、私たちはみな、お袋に学校を出してもらい、次々に勤めに出るようになった。人生は綱渡りの連続ではあるが、このときはよく渡り切ったとつくづく思う。

私のお袋だけでなく、あの大戦で、夫を戦死させたり、空襲で失ったりしたあの当時の妻たち、何十万何百万の女たちが、きっとそうやって生きのび、子供を一人前にしてきたのだろう。ほんとうに母というものは強いものである。これがあべこべに、妻が死に、夫たちが子供を育ててゆかねばならないとしたら、それだけの底力を発揮して綱渡りができただろうか、私は大いに疑わしいと思わざるを得ない。

また、それだけにお袋はしっかりしていて強い個性をもち、号令をかけて一糸乱れず統率する、というのが好きである。私が家を出たので電話で指図してくる。先日も言い合いをしたというのは、次のようなわけである。

ときどき、仕事の電話がお袋のほうへかかる。もう十年も前にお袋のマンションを私の仕事場としていたのが、古い住所録にまだのっているとみえて、テレビ局がそちらへ電話してくる。テレビ出演だ、講演だ、などという話である。私はどちらもやらない。お袋に、

〈断ってくれたんでしょうね〉

といったら、

〈タマには出たらええやないの、着物はほら、あの、去年つくったのを着て……〉

よけいなお世話だ。

〈出ないといったら出ないわよ、アタシ！〉

〈せっかく頼んではるのに、タマにはテレビに出て、老い先短いお母チャンに、「今朝、ウチの娘、テレビに出ますので」と友達にいわせてもええやないのッ！〉

こういうときだけ〈老い先短い〉とお袋はいうのである。

〈そんなことべつに言いひろめる必要ないやないの〉

〈そやけど、この頃、どないしてはります、活躍してはりますか、いう人もあるし〉

私はなるべく目立たないように生きるのがいいと思うので、人にそれぐらいに思われるのがちょうどいいのだ。

〈何でもいいけど、勝手にそっちできめないでよ。アタシ、テレビ、ラジオは一切、出えへん、ときめてるんやから！〉

お袋にしゃべるときはすべて「！」がついてしまう。

〈ほんまに可愛げない子や、セイコは！〉

お袋は憤然と叫ぶ。

〈野球選手見てみなさい。大きな体格《から》してても気のやさしい、親に孝行な子ばっかりや。インタビューでどないいうてはるか。「母を安心させたいので……」なんて可愛らしい

ことういてはる。あんたとは、えらい違いや！〉

私は面くらった。私はテレビニュースもあまり見ず、野球の知識にも乏しいので、お袋が誰のことをいっているのか分からない。すべて世間の情報はお袋のほうがよく知っている。お袋のいうのは、原クンか愛甲《あいこう》クンのことでもあろうか。お袋はかんかんに怒って電話を切るのである。だからといって私も、それなら、といって、自分流のやりかたを曲げるわけにいかないのである。それで言い合いに終わる。お客は私に、

母のお客に一年にいっぺんくらい、私が逢うときもある。お客は私に、

〈いつもすてきなお仕事を……〉

とお愛想をいわれる。するとお袋はそのお愛想を受けてお愛想を返す。

〈いえ、もう何ンでございますか、かるいものばかりぴょこぴょこ書いて、たいしたこと、ございませんのよ、オホホホホ……〉

私はたよりない女だが、それでも当年とって五十三になっている。五十すぎたなんて、自分でも信じられない位だから、お袋にしてみたらよけい信じられず、いまだに私を十六、七の、あるいははじめて本を出した頃の、三十娘にしか、思えないのだろう。

それも無理はないのだが、〈かるいものばかりぴょこぴょこ書いて〉とは何だ！　もとより私は自分の書くものを「軽文学」だと思っているが、肉親の口からあまり真実すぎる批評をされるのもいやである。

それに〈ぴょこぴょこ〉も気にくわない。私は軽佻浮薄《けいちょうふはく》であるが、根は真摯《しんし》であるとみせようとし、その実、ほんとは軽佻浮薄、という、まあ商売の内幕をばらすこともないのだが、そのへんのごまかしの障壁を、お袋は苦もなくぽーんととびこえ見すかし、看破しているのである。

こういうわけで、私はお袋と言い合いして「！」がつく語気でわたり合うものの、どうも何となく弱い。

日本の家庭は過度の母子密着で、それが社会をゆがめているとはよくいわれることだが、五十にもなる人間が、お袋の描いた円周から出ようと渡り合うのも、なかなかしんどいことである。まして、まだその自覚のないトシ頃では、お袋と正面切って対決して、連結器を切り離し、別のレールへ走り出すということはよくよくせきの覚悟がいるだろうと同情に堪えない。

こう思うのも、最近、母親の支配欲、権力欲からおきた、まがまがしい事件のニュースを重ねて見たからだ。

一つは静岡であった事件だが、高三の息子を殺して自分も自殺した五十一の母親。

このひとはかねて一人息子の進路について自分なりの青写真をもっていた。家は「家庭用品販売業」であるが、彼女は息子に大学へ進むように切望していたらしい。息子は高校を卒業したあと就職したいと希望し、それも自動車整備関係の仕事に進みたいといっていたようである。母親は大学進学を強くすすめ、息子はあくまで反撥するので、母親はノイローゼ気味だったそうであるが、寝ている息子の首を絞め、自分も首を吊って死んでいる。

死んだ人の気持ちをいろいろ推《お》しはかるのは無理だろうけれども、ここでも母親の思い込みというか、支配欲というか、第三者にはためいきをつかせるていのものである。

私などからみれば、この息子は、自分の進路に自分なりの夢を持っていて、実にたのもしいと思われるのに……。新聞に報道されていることが、そのまま事実なのかどうか、その裏にもっと複雑な事情が潜在するのかどうかは、我々には知りようもないから、何ともいえない。しかし息子は、「三月に、学校の担任と親子面接をした時には、各種学校か就職を希望しており、自動車整備関係の仕事に進みたいといっていた」（「朝日新聞」夕刊・一九八一年四月六日）。という以上、母親の支配から脱して自分なりに生きようという考えをもちはじめていたのかもしれない。

一方また、この母親のトシが私とあまり変わらないので、自分に引きつけて勝手に想像するのだが、戦中派の親にしてみれば、子供を大学へやる、ということは、わが生涯の総仕上げ、というような意味をもつものであったろう。その気持ちもわかるけれども、自分の思い通りに子を動かそう、というのはもう母性愛というより、すさまじい権力欲である。

二つめは関西でおきた事件で、大阪近郊の住宅地、こちらは二十八歳の若いママである。三つの男の子を殺して、自分も死ぬつもりでウィスキーを飲み、乗用車を運転してガードレールにぶつかって重傷を負った。

これも、新聞報道だけでは、ほんとうかどうかわからないのだが、何とも奇妙というか、面妖《めんよう》というか、いかにも現代らしい事件なのである。まず、この朝一時四十分ごろ、ママの実母が、三つの孫の幼稚園入園祝いをもってきた。この実母が五十四で、これまた私とおつかつの年頃である。入園祝いは五十万円、これはピアノ購入費であったという。

このへんの呼吸も、私にはよくわかるのであって、若いサラリーマン夫婦にはピアノを買う資金などなかろうし、といって今どきのこと、三つ四つからピアノを習わせたりする家が多い、いいわよ、ピアノはおばあちゃんが買ったげます、と実家の母はいう。これも世間には多いであろう。

ところが、そこで若いママと、その実母の口論になった。「池田署の調べでは」その若いママは、「一人娘で幼いころから両親にでき愛され、甘やかされて育った」（「朝日新聞」一九八一年三月二十六日）。しかし、母と娘はどちらも「勝気な性格から妥協することがなく、始終口論が絶えなかった」そうである。

かねて母親は着物の着付け教室へ通うように娘にすすめていた。しかし孫の幼稚園入園も近づき、娘にすると、幼稚園の送り迎えもしなければいけない、着付け教室へは通えないという。この朝、五十万円をもってきた実母が再び「〈着付け教室にもいきなさいよ〉」といったことから口論になり、娘は「〈こんなもんいらん〉」と五十万円をつき返し、実母は十一時ごろいったん家へかえったという。そのあと若いママはむしゃくしゃして、三つの男の子を些細《ささい》なことで叱り、いうことをきかなかったので、ハンカチで首をしめてしまった——というもの。

「実母への面当《つらあ》てのため短絡的に」息子を殺した、と警察は見ている、という。

三つの可愛ざかりの子を殺す、という若いママも異常にはちがいないが、実母のほうも異常といっていい。五十四歳というと、これからひと花もふた花も咲かせる年頃である。何を習ってもまだまだ身につく年頃、勉強はこれから、の年頃である。

この事件とは関係ないタトエかもしれないが、作家の吉屋信子《よしやのぶこ》氏が、あの名作『徳川の夫人たち』を書かれたのは七十歳のお年だった。

そして『女人平家』を書かれたのは、それからさらに四年たって七十四歳のお年だった。

五十代はもう自分自身のために投資していい年代ではなかろうか。孫に五十万円出そうと出すまいと、それはその人の勝手であろうけれど、金を出せば、自然に、〈ああせいこうせい〉と指図もしたくなるであろう。その支配欲が娘を錯乱逆上させたのかもしれない。

といって私は、決してこの実母の押しつけがましい愛情、うるさい支配欲、くどい干渉を責め咎《とが》め、嗤っているのではないのである。

我が身とウチのお袋との関係にあてはめ、わかりすぎるほどわかるので、どこかでこの悪循環をたちきらないと、ニッポン社会の風通しはますます悪くなると思うのだ。息子殺しの若いママも、ここで殺さなくても、いずれそのまま、息子が大きくなってもいつまでも指図し支配し、権力をふるいつづけたことであろう。

どうやって子供と親は突き放しあって生きるか、私はまたしても、いつか見たキタキツネの映画を思いおこさずにいられないのだが（その映画ではキタキツネの子は、ある時期を迎えると、親から追い出される。親は巣へ入ろうとする子ギツネを牙《きば》をむいて追い払うのである）、ある時点で連結器を切り離す、子供を巣からつき出す、ということは、自分自身への愛着を発見する、ということではないだろうか。そのことが、子にもまた、親を一つの人格として認め、改めて向きあわせるきっかけになるかもしれない。

もうひとつ、最近、興ふかい文章を読んだので紹介する。ＡＢＣ・ＴＶの「料理手帖」一九八一年四月号のコラムに『食事・食物のしつけ』として、小林豊氏が書いていられる。

あるアメリカの日系二世、このひと梅干が大好きで日本の親類からいつも送ってもらうのだが、一人息子が三世に珍しく梅干が好物で、一度の食事に七つも八つも食べてしまうそうである。二世氏はそれをうらめしく思いながらも、黙っている。日本の食品は何でも売っているロサンゼルスではあるものの、内地から送られる梅干の味は格段で、当地では貴重品なのだが、二世氏は小林氏にきくそうである。

「〈いくら自分の子でも、食べるな、というわけにいかんしね。こんなとき、日本の家庭はどうしているかね?〉」

――これは私の思うに父親感覚の発言で、母親なら、子供が食べたら自分も食べたような気になるであろう。しかしこれからは、父親も母親も、こんなとき子供に〈食べるな!〉というべきだと思うのだ。(日本もアメリカも同じだと思うが)

〈それはオ父チャンの(あるいはオ母チャンの)大事にしてる、貴重な梅干なのだ! やらないとはいわんが、勝手に食べるな!〉

男親は子供に遠慮しすぎ、女親は遠慮しなさすぎる。男親はもっと自我を主張して頂きたいし、女親はそのすさまじい権力欲をある時点で放棄し、放棄することによって自分自身の人生を肥沃《ひよく》にする、そういう風にならないものであろうか、いや、女親の中には、ウチのお袋のように、自分自身、いろんなことに手をつけ、人生を充実させつつ、なお、五十路《いそじ》すぎた子供に〈あわせいこうせい〉といいたい恐るべきタイプの人もいるのだから、迎え撃つ子の方としては、それに対抗する力をよっぽどたくわえていなければいけない。まさに、母性とは権力欲の名なるべし。

（『死なないで』一九八五年・筑摩書房。初出は「暮しの手帖」72号・一九八一年五、六月）

男親の教えた歌

どうも毎々、私は男性方にからいようなことばかりいっているようなので、決してそうではないというつもりで、私の祖父や父が、私に与えてくれたものを話してみようと思う（二人ともすでに亡《な》い）。

私の祖父は大阪の写真師で、若い頃、横浜へ写真の修業にいった。だから下岡蓮杖《しもおかれんじょう》の系統のようである。大阪の写真師は、長崎の上野彦馬《うえのひこま》系が多いようであるが、ほかに光村利藻《みつむらとしも》系や、市田左右太《いちだそうた》系（この人は明治初年頃、大阪造幣局の顧問だった英国陸軍少佐キンドルから多くのものを享《う》けたという）などあるらしい。祖父は福山（広島県）から青雲の志に燃えて上阪し、はじめは船場の商家の丁稚《でっち》になったが、祖父の言葉によると、〈こういうことをしとったんでは間尺《ましゃく》に合わん〉と思い、文明開化らしい商売か技術を手につけようと、写真業を思い立った。そうして横浜へ、写真術を習得にいったというのである。この祖父は小兵《こひょう》だが頑健で、才走って利《き》かん気の、チャリ（道化というような大阪弁）な男であって、口やかましくわがままだが、冗談好きの賑やかな性格であった。こういう性質ではなにさま、勤倹実直で旧弊な船場の丁稚はつとまらないであろう。私の家では笑い話に、祖父の丁稚時代のエピソードがよく語られた。丁稚の味噌汁は薄くて実《み》も少ないので、祖父は女中衆《おなごし》サンの目をぬすんで自分で味噌汁をよそう。その際、杓子《しゃくし》でぐるっと鍋をかきまわし、実が寄って浮きあがったところをすくう、というのであった。

この抜け目ない男が門を叩いた横浜の写真師の名はわからない。祖父は四十なん年前に死に、祖母も父も亡くなっているので、くわしく知りようがないが、ともかく大阪へ帰ってきたときは手に技術をつけていたようである。店を構える資金はないがどうやって調達したのか、写真機を一台担《かつ》いでいた。それでもって中之島の洲先《すさき》の公園へいき、〈写真どないだす〉と声をかけては写してあるいた。街頭スナップである。その頃、中之島の洲先は、たべもの屋が出たり、川遊びする人があったりで、いつも遊興する人々が群れていたという。明治の中頃の大川（淀川）は、水も澄んでいたろう。

祖父は小まめで、骨身惜しまぬ働き者だったとみえ、やがて資金を貯めて福島（大阪市北部）に小さい写真館を開いた。昔はカメラなど普及していないから、写真館はよくハヤったのである。

ところで、大阪の古い写真屋さんたちが声をそろえていうのに、大正はじめの「電気写真」で、写真屋はどこもボロもうけをしたという。それまでの写真は仕上がりに一週間から十日かかった。日光焼きだから、〈写真屋殺すにゃ刃物はいらぬ、雨の十日も降ればよい〉といわれたくらい、天気まかせの商売であった。それが電気で焼き付けるようになって、一、二日で仕上がった。名刺判が六枚で五十銭だったという。連日、押すな押すなの盛況で、札束をわしづかみにした、とこれは、老人たちの懐旧談。

昭和はじめに、新しく開けた市電通りに、祖父は写真館を建てた。広い写場や暗室、飾り窓のある、木造モルタル、化粧タイルのしゃれた洋館である。『大阪写真百年史』という本を見ると、当時の有名写真館の写真が載っているが、例外なくハイカラ洋館で、戦前は、写真は舶来の技術、ハイカラ文化、とされていたらしい。いま見ると、さながら異人館のように典雅《てんが》であるが、私のウチ同様、みな第二次大戦の空襲で焼失したようである。

私の少女時代はこの家で過ごしたが、六十代の祖父が、家の実権を握っていた。右の書物には「全関西写真聯盟会員名簿」が載っているが、昭和九年九月一日現在と昭和十六年五月現在と、二度とも祖父の名が見える。特に後のほうには「営業統制委員」と「防諜団員」の肩書きがついている。これは戦時下のことで企業統合になったのと、スパイ防止の意味から特に写真家の注意を喚起する必要があったのだろう。

私の少女時代というと、昭和十年代であるが、このころもあいかわらず写真館は盛業であった。これはどこもそうだろうと思う。見合い写真が盛んになり、また応召《おうしょう》される兵士たちが記念写真をうつしにきた。正月の晴れ着姿、入学式、卒業式と親子連れが入れかわり立ちかわりくる。それに、外注の工業写真という仕事があったようで、家業はかなり賑わしかったようである。私が物心ついたときには、技師や見習いの青年たちが、いつも五、六人いた。

祖父は父に技術を教えこみ、上の叔父も写真師にして分家させ、下の叔父は東京の東条写真館へ修業に出した。写真についてはいつまでも熱情を失わないらしくて、同業者の写真を若い者たちと熱心にあげつらっていた。私は家の商売に無関心だったが、子供ながらに、みなが尊敬の口吻《こうふん》で口にする名をおぼえてしまった。それは「市田写真館」や「小川月舟《げっしゅう》」というのであった。祖父はワルクチ好きの、自信家であったが、尊敬する点はハッキリしていて、〈そらァ違う、市田のは〉といったりした。

この祖父は絶えずセカセカ、イライラしていて、大阪弁でいう「イラチ」であった。左手の薬指の先が飛んだか曲がったままかになっていて、これは昔、照明の閃光《せんこう》電球が爆発したときの怪我だそうである。この事故は当時よくあったという。東伏見宮妃殿下が来られた昭和十一年だか十二年だかの、大阪愛国婦人会総会でも、閃光電球が破裂して大騒ぎになり、天満署《てんましょ》の刑事が飛んで来て、写真師が引っ立てられたという報告がある。

祖父はそういう手で、カメラを弄《いじ》くり、若い者に指図し、あたまごなしに叱ったり、冗談をいって笑ったりする。修整などは人に任せていたようであるが、スタジオへ来た客をうつすのは、病気で倒れるまで自分が手を下さないと承知しなかったようである。このころの機械は、黒いキレをかぶってシャッターを握るというもの。子供などが母親に抱かれてうつすときは、〈ホラ、ここから鳩ポッポが出ますよ〉といわれて、じっとレンズをみつめているという、大きなキカイである。

この祖父は何かあると、

〈お栄《えい》!〉

と祖母を喚《よ》び立てた。祖母は祖父の声がまだ終わらぬ先へ〈へえ!〉と返事して、何をしていても飛んでゆくのであった。祖父のいいつけに何一つ逆らわず、〈へえ〉〈へえ〉と諾《き》く。食事どきになると、祖父はまず上座《かみざ》に坐る。その次に父、あとは店の人々、子供、家族、入れかわり立ちかわり食事をしては立ってゆく。ピンポン台にもなる大きい食卓であるが、何しろ一家の住人が二十何人いると何交代もしなければいけない。ところが祖父は、はじめからしまいまで坐っている。晩酌をやるから実に長い。料理の品数が多い。一皿に箸《はし》をつけ、不味《まず》いと思うと、箸で皿を押しやって、

〈もみない!〉

と傲然《ごうぜん》といい、祖母は恐縮した如く〈へ〉とそれを引き下げる。祖父は酒がまわるに

つれてひとり上機嫌でしゃべりまくる。御飯を食べている小学生の私に、
〈どや。儲けとるか、学校でなに習《なろ》とる〉
などという。おしゃまの私は言い返す。
〈学校は儲けるトコ違《ちゃ》う〉
〈なに。儲けることを教えんような学校はやめてまえ。がひひひひ〉無茶をいう。
この祖父は特に趣味とてないが、時々大阪湾の築港《ちっこう》へ釣りにいくので、何でも〈釣ってきたる〉というのが口癖であった。妙齢になった叔母が二人いたが、そろそろ戦争で若者たちが召集されて少なくなったので、「婿《むこ》はん」も、
〈釣ってきたる〉
私が学用品やオモチャを母にねだっていると、
〈釣ってきたる〉
といった。夏の夕食は、祖父など上半身裸で、戦前は、男も女も、わりによく裸体を曝《さら》していたようである。日本の庶民は、夏には裸の伝統があるらしい。更にその裸の肩には冷たい水で濡らした「テノゴイ」をかける。祖父は手拭《てぬぐ》いとはいわず、テノゴイという。そうして冷やした酒を飲み、薬指の曲がった手を卓に置いて、はじめからしまいまでしゃべくり、祖母に返事を強要するのである。誰かが祖父の意見に反駁《はんばく》すると、
〈じゃかっし〉（うるさい、黙れ、というような意味の大阪弁である）

とあたまから押さえつける。ひとりでしゃべり、ひとりで笑う。それでも時々、みんなを笑わせることもあったらしく、どっと笑い声が上がることもある。戦前の家庭では、家長が独裁者であるから、家長が上機嫌でいると家中が浮き浮きするが、また祖父の機嫌が悪いとまことに難儀である。祖父は家族の一人一人を槍玉にあげてワルクチをいう。ただ、そこは大阪弁であるから、いささか逃げみちがあるものの、たとえば、

〈お前は暖簾《のれん》にもたれて麩《ふ》ウ嚙んでるような奴《やつ》ちゃ〉

というのは頼りないことを叱ってるのであり、

〈お前は幽霊《ゆうれん》の鉢合わせじゃ。ところてんの拍子木打ってるのやあらへんぞ〉

というのは、おとなしいのを罵《ののし》ってるのである。言いたい放題言いまくって楊子《ようじ》を使いながら奥へはいり、ラジオの広沢虎造《とらぞう》だとか、徳川夢声《むせい》朗読するところの『宮本武蔵』なんかを聴き、時に金語楼《きんごろう》の落語をレコードで聴いてまた笑い、寝てしまう。

いちばん威張ってるようでありながら、子供の私には、どうしてもそう見えなんだ。なぜかというと、祖父が寝てから、あるいは祖父の留守ちゅう、女たちは集まって祖父のワルクチをいう。曾祖母《そうそぼ》がこの頃はまだ健在で、曾祖母のいる部屋は情報センターであり、サロンである。女たちはここへ集まり、意見や情報を交換し合う。子供の私は片隅で寝そべって絵本を繰りながら、女たちの話を耳に入れている。

この女たちというのは、曾祖母をはじめ、祖母、嫁である私の母、叔母たち、女中衆《おなごし》

サン、掛人《かかりゅうど》の老女たちである。女たちがまず攻撃するのは、男の無責任と粗笨《そほん》なタテマエと身勝手である。叔母たちの縁談のこと、叔父の仕事のことといった大きい問題から、町内のつきあい、親類のあしらい、家計の切り盛りから奉公人の手当、人員補充から食事の中身まで、実質的な決定は女の部屋でなされるのである。

祖母は〈へえ！　へえ！〉と祖父に対しては一も二もなく従順であるようにみえながら、女たちのたむろする奥の間《ま》へくると、

〈やれやれ、ホッホ……。おとうさんは何を言いはるやら……〉

と祖父の言葉など歯牙《しが》にもかけぬ風でいる。

しかし子供の私が感じ取ったところでは、それは決して面従腹背《めんじゅうふくはい》という狡猾《こうかつ》な気分からではないのである。

祖母の、祖父に対する態度は、昔ながらの「かしずく」というようなさまで、言葉からして、〈お酒にしはりまっか〉〈着ていかはりまっか〉と敬語を使い、自分が出ていくときは、必ず祖父にていねいに、

〈ほな、ちょと、行《い》て参《さん》じます〉

と挨拶した。私たちに、祖父の横浜における写真修業を誇らしげに語り、

〈うちの写真館は、大阪でも古《ふる》おまんのや〉

とプライドを教え、祖父の指の事故を、

〈フラッシュで、あない、なりはったんだす〉

と名誉の負傷のように自慢らしくいった。

だから祖母は、決して祖父を軽んじていたわけではない。この祖母はきりきりとよく働く綺麗好きの、疳性病《かんしょや》みの女であって、することが何でも手ばしっこかった。だからもし祖母がワルクチをいっても、それも祖母に似つかわしかったであろうが、彼女は祖父に関する限り、孫や子にワルクチをこぼしたように思えない。同時に私のうちでは「横浜で明治の初めに習得した」という写真技術そのものに、敬意を払う気分があったようである。

だから祖父は、祖母に、たいへん鄭重《ていちょう》に扱われていたといえる。

ところが、

(それはちょっと、脇へおいといて——)

という感じで、祖母は祖父のことを、

〈何を言いはるやら〉

とこともなげに一蹴《いっしゅう》し、女サイドからコトをすすめてしまうのである。子供の私は、いっとなく、

(この世の中には、フタ通りの政府があるらしい)

と気付く。それでいて二つの主権はいがみ合うことなく、別々に派生しながら、いつ

か太い一本の綱に縒《よ》り合わされ、綯《な》い合わされているらしい。しかし本来は別々のものであり、といって、どちらか一本だけでは細すぎるというようなものであろうか。

祖父があるとき、何か失敗をしでかした記憶がある。

女たちは大げさにためいきをついて、その修復を試みることになった。祖父も申し訳に、それを手伝おうとして手を出した。するとたちまち、一せいに、たしなめる声があがった。女たちは快《こころよ》さそうに祖父を叱咤《しった》する。

〈もうよろし、手ェ出しなはんな！〉

〈また壊《こわ》さはるよってに、退《の》きなはれ〉

〈任しなはれ、ちゅうのに！〉

祖父は唇をとがらして所在なげに手を引っこめた。私は子供のくせにそのとき、「男の可愛さ」みたいなものを感じてしまったのである。祖父はいばりかえる家長ではあるけれど、何となく憎めないところがあって、女たちに「可愛がられて」いたようである。

そういう気分を女たちに引きおこすのは、女の自信であろう。戦前の女は社会の暴圧に苦しんでいたように思われるけれども、あんがい家の中へはいると居場所はしたたかに占めているのである。そうして、〈へ！　へ！〉と男を奉りながら、

（それはそれとして、ちょっと、脇へのけて――）

という発想が、なんの苦もなく、ごく自然に生まれてくる。それは男への敬意と矛盾

しないものらしい。〈任しなはれ、ちゅうのに〉とか〈退きなはれ〉という分野があって、そのへん混沌としつつも、男と女を結び合わせているらしい、私はそんなことを感じさせられたのであった。——尤《もつと》もこれは、その時の私の感じを、ずーっとあとになって解明できたものであろう。子供の私は（おじいちゃん、やりこめられはった）と思って、じーっと祖父を見ていたようである。

私の父は、これはハッキリ聞いていないのでよくわからないが、商業学校ぐらい出て、祖父から写真術を習得したようである。それだけの経歴であるのに、父はやたらハイカラ好みであった。昭和初年、十年代というのはテニスをする人も少なかったが、父は甲子園のテニスクラブへ入って、早朝、練習にいったりしていた。絵が好きで水彩画をよく描いた。芸術家ふうを気取るのが好きだったのかもしれない。大阪人のいう、「新しもん好き」であった。年賀状は写真であった。ある年の年賀状は徳利《とつくり》と猪口《ちよこ》の写真で、酒なくてなんのおのれが浮き世かな、などというような文句を添えたため、頭の堅い祖父が怒り罵ったような記憶がある。仲の悪い親子で、祖父にしてみれば、〈なんで写真屋にテニスや絵が要《い》るんじゃい〉というところであろう。父は家業の写真にも芸術風を加味したかったようである。祖父はヨソの写真館の仕事は褒《ほ》めるが、息子の仕事は貶《けな》すところがあって、父には何だかいつもガミガミといっていた。

しかし父の影響で、店の技師さんたちも、写真コンクールに応募したりしていた。四つ五つくらいの私と従妹《いとこ》が、二人並んで斜め上を見上げている写真は、コンクールの審査で、

〈ええトコまでいきました〉

ということだったが、これも空襲で焼失してしまった。私の好きな写真だったので、今も記憶にはあるけれども。

父は身につける物にもハイカラ趣味があって、あれは仕事でつきあった外人さんたちの影響ではないかと思う。工業写真の発注がある工場や会社には、「西洋人」の顧問というか技師というか、そういう人たちがいたらしい。彼らと交際しているうちに、父もハイカラ趣味にかぶれたのであろう。祖父が好んでかけるレコードは、金語楼《きんごろう》や虎造であったが、父の愛蔵するのは洋楽のクラシックであった。とくにシャリアピンの『蚤《のみ》の歌』などはしごく大切にして私たちにもよく聴かせた。大阪下町の写真館の奥の間で、シャリアピンの朗々たる美声がひびきわたるというのは、当時としては、まことに異な風景であったのである。

戦前の大阪というのは、実にもう、未開で蒙昧《もうまい》で、ハイカラの気《け》もない。谷崎さんの『細雪《ささめゆき》』がハイカラなのは、小説の中の一家が富豪だからではなく、阪神間に住んで

いるからである。

開明的な神戸の匂いが漂ってくる上に、阪神間の住宅地というのは新興住宅街で、土地の伝統に呪縛されていない。歴史の因襲から断ち切られているから、花見や芝居見物やホテル泊まり、と豪奢な生活絵巻をくりひろげることができる。しかも、『細雪』の栄華は、富豪の没落を背景にしている。没落の栄華は女性文化の領域であろう。商家が堅実に発展維持されているときは、男性文化の領域であるから、栄華も豪奢も関係ないのである。元禄期では経済も文化も、つまり男性文化も女性文化ももろともに栄えたというのに、昭和初年ごろには、文化は衰えて、商売ばかりになってしまった。大阪の商人は家業の存続しかあたまになく、遊びといえば色町ばかりで、いつまでたっても世間が狭い。関西の小説家はみな東京へゆく。画家は京都へ出てしまう。大阪の未開蒙昧度は深いのである。ハイカラの気《け》もない、という所以《ゆえん》である。

東京生まれで関西に落ち着いた人に、俳人の橋本多佳子《たかこ》さんがいるが、この人のエッセー集『菅原抄《すがはらしょう》』を読んでいたら、昭和十六年頃のこととして島之内《しまのうち》のあるご寮人《りょん》さんの話が出てくる。橋本さんはこれを、出入りの剃《そ》り屋さんから聞いたという。剃り屋というのは、これも大阪だけの商売だろうが、女の人が、顔を剃りに家々をまわるのである。

「へほんまに今時こんな御寮人さんがあるなんてうそみたいでつしやろ。船場《せんば》の××さんと云はれるひとが百貨店もろくに知りはらしまへんのでつせ。『難波《なんば》に髙島屋建ちましたさうでんな』など云ははりますのや。地味な女中衆《おなごし》はんのやうな姿で朝から晩まで働いてはります。私があがつても火鉢一つ出しはらしまへん。旦那はんは御養子さんですが、南《ミナミ》（盛り場）へよく自動車でいきはりますねんで。さあ、知つてはるのやらどうや知りまへんが、お気の毒でんな、わてらよう辛抱しまへんな。お年でつか、さあ四十にはまだ間がありまつしやろ〉」

その頃でさえ、こういう古風で因循姑息《いんじゅんこそく》な、狭い家庭だけを匍《は》いずりまわって暮らす人は珍しいというので、橋本さんは興を催して書きとめたのであろう。橋本さんは富家の夫人で、その頃はもう未亡人だったが、夫とともに外遊もし、自由で派手な暮らしも経験した人だった。しかし戦前はたしかにこの主婦のような人が多かった。私の幼時、生家の近くの大地主の夫人も、女中さんとまちがうような質素な身なり——というより、粗末な風をして、朝から晩まで、くるくると働き通しだった。そのくせ、邸内には二つも蔵があり、何十という居間のある大邸宅だった。大阪の気風は、金があっても使い方を知らない、ただの吝嗇《りんしょく》になりやすいのである。文化も風流も縁のない金持ちが多い。未開蒙昧の風土という所以だ。

この金持ちの「ご寮人さん」もさりながら、「〈わてらよう辛抱しまへんな〉」という底辺自由の民も、どれほど開明的であったか、甚《はなは》だ疑わしい。煙都《えんと》が昏《くら》いのは、煙のせいだけでなく、気風が閉鎖的なためである。大阪人は決して頑迷迂愚《がんめいうぐ》なのではなく、怜悧《れいり》な人も多いのだが、「新しもん好き」をいましめる風も結構強い。現代もいろんなコトを思いつきながら、それを組織化し系統だてるというところは東京におくれ、旨《うま》い汁は東京に吸われるというありさまで、これではあかんと、この頃ようやく大阪も、「新しもん好き」の気風を振興育成しようとしている如くである。

それはさておき、ハイカラの気《け》もない大阪下町で、私の父はひとり浮きあがり、何となくみんなに軽んじられていた。父はうまいもん好きでもあったが『夫婦善哉《めおとぜんざい》』の維康《これやす》柳吉のように大衆食堂のライスカレーや、かんてき（七輪）で煮《た》いた塩昆布を旨がる、通《つう》の美食家と違い、一流レストランやホテルの「洋食」を旨いと思うハイカラ好きであった。現代はどこでも「洋食」が食べられるが、戦前、フルコースの「洋食」などは庶民のめったに口にできるものではなく、父がそんな話をすると、祖母は、

〈贅沢な〉

と一言《いちごん》のもとにしりぞけ、母は質素勤倹な岡山県人であるから、

〈大阪の人は、なんでそう口が卑しいんですやろ、食べるもんのことばっかり、いうてはる〉

とおとしめた。

父のテニス・音楽・絵の趣味も、家の中では理解者がなかったようである。祖父と違

って中々インテリ顔をしていて、チョッキにネクタイという恰好でスタジオにいると、いかにもハイカラな「若旦《わかだん》さん風」であった。争いがきらいで、祖父の怒罵《どば》にも黙っている。私は祖父のどなり声はよく耳にしたが、父が声を荒らげたのは聞いたことがない。祖父にはみんなが慴伏《しょうふく》していながら、陰では〈何を言いはるやら……ホッホッ〉というくらいであるから、父に至っては家の女たちにずいぶん軽視されていたようである。祖父の生前中は、父の意見など、仕事でも家庭内でも、何一つ通らなかったのではないかと思う。

子供というものは権力のあり場所に敏感で、それは弱者の通癖であろう。戦前の大家族の中では、子供などはコンマ以下のつけたしのような存在で、店や仕事場をうろうろしていると、祖父に、

〈コマンジャコが邪魔すな！〉（コマンジャコというのは小さな雑魚《ざこ》という意味の大阪弁である）

と叱られてしまう。といって可愛がられないというのではないが、現代の核家庭の子供のように王様ではないわけ。家庭はあくまで大人中心で運営されるのである。そういう中で生き抜くコドモは、誰の力が一ばん強いかを見抜く。ウチでは、子供の私が見るところ、祖父ではなく、女たちであった。私の母は若嫁で一ばん無力だったが、それでも女たちの総意の一部にはなっている。この女たちが軽んずる父を、私も何となく軽ん

ずるわけである。オンナ部屋の影のようにへばりついて、女たちの話を小耳に入れつつ、絵本を読んだりしているコドモの私は、女たちの影響をうけやすいのである。

そのくせ私は、父に最も可愛がられたという思い出がある。私には弟と妹がいるのだが、総領娘の私は父に甘やかされたという気が今もある。

旧制高等女学校の第一志望に落ちて、私は泣いていた。母はセカセカと第二志望の女学校の試験日などいうのに、父は私を慰めて、

〈よろし、よろし。泣かんでもエエ。セイちゃん落とすような学校の校長は、お父ちゃんが知ってる人にいうてクビにしたる〉

といった。泣いていた私は、コドモながらに（そんなことできるかいな。あほらし）と思っていたが、そう思いながら、父のやさしさが嬉しいのであった。

というのは、女たちに影響されて父を軽視している一方、私は父のいうひとことが、いつまでも忘れられないというところがあるのだった。父が私に甘いのを見くびりながら、父のいうひとことがこたえるなんて、コドモというのはおかしいものである。

夏のある日、小学生の私は、弟と妹を連れて、「アイス・クリン屋」へはいり、金時《きんとき》アイスだとか氷水《こおりみず》なんかを食べた。子供たちだけで入ることは禁じられているはずなのに、どうしてそういうことになったのかわからない。アイス・クリームを大阪弁でアイス・クリンというが、最中《もなか》の皮に入れた安物のアイス・クリンである。食べてから私

はお金が足らないのに気がついた。さあ大変。小学生としては七転八倒の苦境である。せっぱつまった私は、妹を人質に置いてお金を取りに帰ることにした。自分が居残って弟と妹を取りにやらそうかと思ったが、一人ぽつねんと居残るのはきまり悪かったのである。〈ちょっとここで待っとり〉と妹に言い、妹は何も知らずに店にとどめ置かれた。私は大いそぎで弟と家に帰り、オトナからお金をもらって店へ取って返したら、妹は泣きもせず、きょとんと坐っていた。

この人質事件が父の耳に入り、父は私にひとことといった。

〈きまり悪いことを、ヒトにさしたら、あかんナー〉

また、あるとき私は文房具屋で何かを買った。家に帰ってから気に入らなくなった。返品しようと思ったが自分で行くのは具合悪く、これも妹に行かせた。私は中々に、ズルい子であったのである。

妹は何心《なにごころ》もなく帰って来て、〈お金返すのはナンやから、ほかのん買《こ》うて下さい、いいはったから、ウチの好きな下敷きに替えてもろたしィ〉といい、私は腹を立てて、妹といさかいになった。

父が、どうしたのかと聞く。私がそのいきさつを父に話したくなかったのは、どこか、うしろめたい気があったからであろう。妹は無邪気にしゃべってしまう。

父はゆっくり妹の話し相手になってやり、私に向かって、おだやかにいった。

〈モノ返す、ちゅうようなときには、自分で行かな、あかんナー〉

私は黙っていたが、したたか、自分のズルさを思い知らされてこたえたのである。母に叱られる時は逃げ場もなく追い詰められるので、かえって反撥を誘い出されるが、父がいうと、小学生の私はそれなりに反省してうなだれるのであった。父のは叱言《こごと》というより、世間ばなしのついでというような口吻があって、子供のプライドも傷つけられないでよかった。

私はよくウソをついた子供で、それがまたすぐにバレて母にギンギンに叱られたが、父にはそのことで叱られた記憶はないのである。父は母とおんなじことを重ねて叱る、ということはしなかったようだ。しかし私は、父が黙っているのがかえって怖かった。腕時計を落としたのを言わなかったこと、悪い点のテストを隠していたこと、成績の落ちた通知簿を、まだもらっていないとウソをついて見せなかったこと。そのたびに母に叱られ、泣いてゴメンナサイというのであるが、父も知っているに違いないのに、何もいわない。何もいわないのは叱られたも同じことで、私はしょげてしまうのであった。

これは要するに、母は各論的に叱り、父は総論的に、大本《おおもと》の躾《しつけ》を受け持ったように思われる。

そうして、いつの間にか、コセコセと小さいことは言わないが、大きいところで、

(オ父チャンが見通してはる)

と思うようになった。

すると、とても父が怖かった。いや、怖いというのは適当ではない。父が私に甘いのを私は本能的に知っており、ビビってはいないのだが、父のたたずまいに心づかされる、というようなものがあった。

私が女学生になった祝いに、父は靴をあつらえてくれることになった。昭和十五年の頃はまだ物資が豊富で、そんな贅沢もできた。父は、左足が何センチか右足より短い私のために、左の方を高くするように靴屋に注文してくれた。出来上がってきた靴は、どういう加減か、ひどく重かった。それに見た目にもすぐ左の靴底が厚いと分かるようになっている。女学生の私は気むずかしい見栄っぱりである。人と違うものを身につけたくない。それに重くて歩きにくい。一ぺん履いたきり、私は下駄箱へしまいこんでしまった。

〈勿体ない。高価《たか》いのに。履きなさい。履いてると馴れるから。せっかくお父ちゃんが作ってくれはったのに〉

と母は声を嗄《か》らして言いつづけるが、私は、〈いやや、重いんやもん〉と抵抗した。父は靴を提《さ》げてみて、

〈うん……重いかもしれへんナー〉

とひとこと言っただけで、それからはぷっつりと靴の話をせず、無論、私にそれを履

くように強《し》いたりしない。母はといえば、下駄箱をあけるたびにその靴が目につき、目につくたびに私に叱言をいう、というのがならいになった。しかし父はひとこともいわない。

その年頃の私は、父だからだ、と思うよりも、なぜか、

(男やなあ)

という感慨をもった。男はごじゃごじゃといわないものだ、というような認識を得た。

それから、

(やっぱり、男や)

と感心もした。

(さすがに、男や)

という気もした。私は女文化の、喋々喃々《ちょうちょうなんなん》文化圏、ごじゃごじゃ・こまごま文化圏、ハイカラ好み・新しもん好きは理解できないから軽視する文化圏で大きくなった人間ではあるけれど、父の何かに触れるたび、冷水をぶっかけられたようにめざましい異文化ショックを受けたのである。

男の怖さ(剛《こわ》さでもある)に背筋を正す、という経験も与えられたわけである。

男はこまかいこと言わへんもんや、という敬意を持ったわけである。

そういう、男文化の珍重すべきを知りながら、一面、いまの私は(それはそれとして、

ちょっと、脇へのけて——）という感じで、「男の可愛さ」みたいなものを見付けよう見付けようとし、いつもエッセーに書くこととといえば、

「男の可愛げ」

についてであり、世の母親、ことに男の子を持つ母親に私が訴えつづけているのは、

〈どうぞ、女に可愛がられる男に育てて下さい〉

ということである。日本の男だって、生まれた時から可愛げがないわけではなく、日本の男の子教育が悪いのだと思う。日本文化にはなぜか男の可愛げを扼殺《やくさつ》するようなところがある。男の可愛げにこだわるのは、どうも私の場合、祖父の記憶があるからではないかと思われる。口やかましくわがままで尊大でシャベリでワルクチ好きの祖父が、あんがいドジで、女たちに叱られたりしている、そういう反応を女たちから引き出す可愛げが、どこか祖父にあったのであろう。

私は父と祖父を通じて、男文化の一端をかいまみたわけである。それは長いこと、私自身でも気付かなかった。自分が若ざかりのころは女文化の盛りのただ中にいて見えなんだのであろう。年を加えるにつれ、男文化がわが裡《うち》にも育ってきて、そうなるとそのルーツは、父と祖父にあったと気付いたわけである。男親たちはたしかに私に「男の歌」を教えてくれたわけであった。父が死んだ年齢より長く生きて、私はやっとその歌に耳傾けることができるようになった。男文化というものもまた、愛すべく貴《たっと》むべきも

のである。

（『ぼちぼち草子』一九八八年・岩波書店。初出は「世界」一九八六年四月号、五月号）

九十年ひとむかし

母を私のうちへ引き取って一年ちょっとになる。いま九十三歳の老母はそれまでマンションに独り住みしていた。通いで面倒を見てくれる人が、トイレで倒れている老母を発見し、私や弟妹に急報した。救急車で運んでもらって一週間ほど入院したが、元気をとり戻し、またマンションへ戻るという。

もう、いくら何でも無理ですよ、と言い聞かせ、私の家の離れを少し手入れして、母を連れてきてみせた。庭（ほんのささやかな庭だが）の植木や草花が窓から見え、洗面場も作り、日当りもよく、……というので、老母はいつしか納得して住みつくようになった。

老母に不可欠のものはテレビと電話であった。電話については私は携帯電話を与えた。私は持っておらず、あの小さい機械を操作するのも面倒だが、老母は嬉々として、日夜〝ケータイ〟を楽しんでいる。私の弟妹（これは当然として）、知己・友人（やたら多い）に、電話をかけつづけ、〈かけまくる、という卑語がぴったり〉〈あ。これ、私の事務所の番号よ〉と〝事務所〟オープンを通知する。

惣身《そうみ》は一塊《ひとかたまり》ぐらいに小さくなっているが、達者なものだ。岡山の在所《いなか》出身、明治三十八年生まれ、日露戦争勝利後に生まれたので〝勝世《かつよ》〟と名付けられたといっている。白髪を美容院でカットしてもらう。髪は多く、禿げてはいない。昔の女は日本髪だったから、髪の多いのを自慢したが、それでもあまりに多すぎると、〝馬鹿の大がしら〟と嗤《わら》われたという。老母がそれだったらしい。

肌は、頬のあたり、背中、太腿、つやつやして皺《しわ》はない。あたまも老耄《ろうもう》していず、応酬はまとも、という以上に、時に辛辣《しんらつ》だが、記憶の陥没は時折、ある。まあ、それも彼女を落ちこませるほどではない。小さい歩行器を器用に扱い、どこへでもいける。眼鏡をかければ新聞も読める。彼女の何十年来の愛読紙は「朝日」で、眼鏡をかけた上にさらに大きい天眼鏡《てんがんきょう》を巧みに扱い、全紙面にくまなく目を通し、社説まで読む。〈可愛くない〉

以前、私は彼女に、新聞社の社風の偏向というものがあることを示唆《しさ》し、なるべく対極的な新聞も読むことをすすめ、他紙も提示してみたが（私は五紙を取っている）そのときは老母は納得して、他紙も黙って読む。――が、いつのほどにか、また、「朝日」

を持ってくるように命じている。老人と若者（私のことだ）の哲学は違うらしい。

耳は補聴器を用いればよく聞こえる。

指は筋張《すじば》っているが、的確にものをつかみ、所期の用は達し得るものの如し。

要するに老母は元気なのである。

私のうちでは夫は脳血管障害で家うちでも車椅子使用なのだが、これがまた偏頗《へんぱ》な思想の持ち主で、発病したときから、リハビリなんて眼中になく、〈しゃーない〉の一点張りである。

〈歩けないと人手に頼らなきゃならないよ、弱みになっちゃうよ〉と私がいうと、

〈弱みがなに悪かろう、弱みある人間のほうがエラいんじゃ、弱みは人生の香辛料じゃ、弱みあると人は優しゅうなる、人間が上等になるんじゃ。歩かれへんでもしゃーない〉

〈こっちがしんどいんだよッ〉

と私はどなりつつ、車椅子を押して夫を洗顔させ、髭を剃《そ》らせ……。尤《もっと》も、そういう私だって三十なん年も昔、夫と結婚した時、自分勝手な意地を通しているからなあ。

——それは、私が芥川賞を貰ってやっと作家一本立ちになったころ。弟妹は結婚して独立し、母一人子一人の暮らしで、母はもうこのまま、一生いく、と踏んでいたようだ。しかし私は母と二人暮らしなんていう展望のない人生を選ぶ気なんかなかった。〈あたしは美空ひばりじゃないよっ〉とばかり、母を打ち棄てて、結婚をえらんでしまった。

〝偏頗な思想〟の持ち主は夫だけではないのだから仕方《しゃー》ないというべきか。

こういう変わり者の、若くないのが三人、それに（休日でなければ）アシスタント嬢も、面倒見かたがた夕食を共にしてくれる。夫ならびに老母は健啖《けんたん》である。（私は時に、疲労のあまり、食べものをアルコールでやっと流しこむ、ということをやるが）そういう席で、〈これ、おいしいねえ〉といい合ったり、笑ったりすると、

（皆で笑いあうのが家庭なんだ）

という思いを深くする。笑う、というのは夫が老母をからかうからである。夫は私にいう。

〈おばあちゃんに、おじいちゃん愛してたか、と聞いてみい〉

私が老母の耳もとで大声を張って取りつぐと、老母は上を向いて笑い、

〈まあ、やさしい人やったわな、そやけど酒飲みやった〉

と私の父のことをいう。

〈男前やったか〉と夫。

〈まあ、男前やったわな、そやけど酒飲みやった〉

母の言葉は七十年来の大阪暮らしで大阪弁になっているが、払っても払っても消えぬ霧のように、かすかな岡山弁がまつわりつく。

そのへんから、会話、というより老母の追憶談、かねて抱懐せる人生観や牢固《ろうこ》たる信

念の披瀝《ひれき》という、おきまりコースになる。二十代三十代の人間には耐えられぬ老残の愚痴《ぐち》、と受けとられるであろうが、七十の私、七十四の夫にとっては、それほどでもない。「聞くたびにいやめづらしきほととぎす　いつも初音《はつね》の心地こそすれ」――老人の愚痴に、いい知れぬ滋味《じみ》と興趣《きょうしゅ》をおぼえるようになる。

（それを、ナンデヤ、と聞いてもらっても困る。小説家というのは、〝何や知らんけどそうなんや〟と固執《こしつ》するという人種なのである。そのわけをいえたら批評家になるのだろうが、私はべつに批評家になる予定もない）

母は田舎からあこがれの大都会、大阪へ出られるというだけで、この縁談にとびついた。そして来てみれば、夫は幸い（未知の人間ながら）やさしい気立てだったものの、大家族で、その上、大正末・昭和初年の大阪の気風は沈滞して卑陋《ひろう》で、拝金主義だった。

（むしろ江戸時代は商人の気概も高く、好学の風は大坂にみちみちていたのに）

〈商売、商売ばっかりの大阪やった。インテリを大事にせえへん気風、子供の教育なんて考えてえへんまちやった〉

と老母は口を歪《ゆが》めて嗤《わら》う。岡山県は有数の教育県で、昔から向学心に燃える気風らしい。

老母の家は代々庄屋で、老母の父の代には衰微していたといっても、数多い兄姉たちはみな、旧制中学・高女へ進学した。母と姉たちは井原《いばら》高等女学校へ、兄たちはやはり井原の興譲館《こうじょうかん》中学へ。五年制だったと母は誇らしげに、細っこい皺首を、しゃっきりともたげていう。

〈そやから子供だけは、学校、出そ、思《おも》たわ。それであんたら、みな、大学や女専出して……〉

老母の〝記憶の陥没〟というのは常にこのへんの過去にあるようだ。敗戦の、昭和二十年の暮れに父が病死して、家は空襲で焼け、大家族は四散し、母一人働いて私たちの生活を支え、学業を支えたが、あまりに目まぐるしかった繁忙と辛労が、記憶にボカシをかけているらしい。

突如、老母は聞く。

〈それで、わたしはいま、なんぼになったんやろ?〉

私が九十三だというと、老母は愕然とする。

目は頓狂《とんきょう》に丸くみひらかれ、口はO形に開いたまま、鼻の下は長く引っぱられて、鼻孔も伸び、茫漠《ぼうばく》たる過ぎし時間の累積、あるいは残骸に、ただ驚倒する、という風情《ふぜい》である。

そして老母はきわめて哲学的な質問を、私を主に、夫や、アシスタント嬢に向かって発する。そこには純粋な疑問と驚嘆がある。

〈わたし、そんなトシになるまで、何してたんやろう!?〉

――人が死ぬときに(何してたんだろう、九十いくつまで)と思うのは、かなりの、(いい人生じゃないか?)

という気が私にはある。何となく生きてきた――と顧《かえり》み、何してたんだろう、と思うのは凄い。あれもしたかった、これもしたかった、と思うのは、すこし、品下《しなくだ》れる気もする。それに、苦労は忘れてしまえば、元々、ないのと一緒であろう。

しかし老母は高僧・賢哲ではないからして(私の親だから、無論、当然だが)私が、親孝行のつもりで、〈あんな仕事もした、こんな仕事もしてたではないか。それでも親子四人、水入らずだったから、南蛮粉《なんばこ》、メリケン粉を溶き入れた雑炊でも飢えをしのいでこられた。子供たちもアルバイトをしつつ、どうやら卒業した。グレもせず社会人になったのも、みな母の奮闘努力の賜《たま》ものである〉――などと持ちあげてやると、母の目付きに頓《とみ》に記憶と自信がよみがえる。曲がった背もこころもちぴんと張って、戦時中より苦しかった敗戦後の庶民の苦労、それも母子家庭の辛酸《しんさん》をたのしそうにしゃべりはじめる。戦前の苦労は、意地悪の小姑《こじゅうと》たちに苛《いじ》められたことだった。彼女たちの消息を聞き、もうみな、疾《と》うに死んだ、と私が答えると、再びさっきの、驚倒の表情を浮かべる。勿論、忘却しているのである。私たちは老母のその驚きから人生の長さを推し量ってしまう。人生の窓に降る雪は、過ぎしその手か、ささやきか。

――時に、老母のなつかしがる歌を、皆して歌ってやることもある。『仰げば尊し』

や『早春賦』など、昔の女学生の歌である。老母は大正初年の女学生だ。

〈卒業式の日、卒業生はこの歌を歌いながら、泣かんひとは居らなんだ。……山奥から来てる大庄屋の娘さん、大地主の娘さん、——そのころ女学校へ入る人はそんな金持の娘さんばっかりやったけど、一旦、国へ帰るともう、生涯二度と逢われへん。先生とも友達とも生き別れのようなものやったから皆、手をとり合《お》うて泣いた〉

女学校は一里の道を下駄はいて通うた。木綿の着物に海老茶のサージの袴《はかま》は姉さんのおゆずり。襦袢《じゅばん》の白襟《えり》と白足袋《たび》は毎日、洗《あろ》うた。……髪はうしろで髷《まげ》をつくり、前はひっつめ。下駄はすぐちびて、学校のまわりに下駄屋さんは多かった。そこで下駄の差し歯をしてもろうた。わたしゃ学校の勉強より、小説読むのが大好きな女学生で、いつも蚊帳《かや》のそとへあたま一つ出して本を読んでた。菊池幽芳《ゆうほう》、井手譌六《かろく》、尾崎紅葉《こうよう》も。……吉屋信子はもっとあと。

……〈ところで〉と老母は私をかえりみ、

〈わたし、いくつになった?〉

そこでまた前より一層おどろき、エンドレスの感慨のうちに夜はふけてゆく。

(「新潮」一九九九年一月号)

私の理想の死に方

こんなふうに死にたい、こんな葬式であらまほしい、と思うのは、私の場合、せいぜい六十代前半までであったろう。

私は六十三歳ごろまで、まだ短篇を書いていた。（いま七十一歳である）

短篇小説というのは全力を結集しての瞬発力である。（これも私の場合、だが）気力体力充溢《じゅういつ》してそれをぎりぎりまで引き絞り、あとは運を天に任せて目をつぶって放つ、というところがある。こんなに消耗の烈《はげ》しい営為は（三たび私の場合）、とてものことに、いつまでもやっていられない。

持ち時間と思い比べ、あとの仕事とのかねあいもある。それで戈《ほこ》をおさめた。

私には時々天来《てんらい》の声がふってくる時がある。

〈もう、いい〉

という声が、どこからか、する。それで修羅場から引っ返す気になった。（といった

って、連載ものを抱えている身は、いまも月に何日かは修羅場になるが）

年中、修羅場であったころは、自分の死にざまや葬式を想像するのは、救いの一つでもあり、好きなお遊びだった。葬式のアイディアが湧いて出るのも面白かった。

しかし私も古稀《こき》を越えた。そういう想像は何だか阿呆らしくなった。若けりゃこそ、たのしめるお遊びなのだ。墓場に近きオトナは、そんなよしなしごとにつきあっていられないという気がする。

死に臨んでの心構えなどあるはずもない、というのは、私は本来、あまり、ごじゃごじゃと言挙《ことあ》げするのはキライなので、天来の声が、

〈よし、そこまで〉

と聞こえると（きっと、聞こえるだろうと思う）素直に、〈ハイ〉といいそうな気がする。

人は死にぎわに生涯の事跡がさっとパノラマのように意識にのぼるというけれど、私はそれを見ても格別の感慨もないにちがいない。

（いや、お疲れさん）

と、われとわが身をシミジミ、思うにちがいない。それだけだろう。

してまた、死後の葬式についてくだくだしい指図をしたとて、それがどうなんだ、という気がある。第一、遺言通りにしてくれるか、してくれないか、すべてあとへ残る人

の心任せである。私は人のお弔いはするが、自分のそれはどうでもいい、と考えているので、注文はべつにない。

ただ烈日のもと、または寒風の吹きすさぶ中の葬式は、参会者に気の毒だ。現代は葬祭会場もたくさん出来、ビルの中で簡単に行なわれるから、幾分マシであるが、列席者のそれぞれの時間を奪うのも気の毒である。

私の友人（中年男である）は、

〈通夜も葬式も簡単にすます法がある〉

と得意そうにいう。

〈禁酒、禁煙をいいわたす。水か、茶しか出さへん。すると、みなソワソワして早《は》よすむやろ〉

――〃故人の遺言ですので〃と貼り紙に書き、かつ、〃故人が見ています〃とつけくわえると、かくれ煙草を吸おうと思っていた連中も、煙草をポケットへしまうであろうという。そんなかわいそうな。

しかし今日びの葬式は施設も完備し、ベルト・コンベアーに乗せられたように手順がいいので、煙草を吸うヒマもなさそうである。

ともかくもう、あとへ残った人に任せるしか、ない。それでいえば、ドナー・カードを持っていたとて、それすら、あとへ残された家族やゆかりの人々の気持ち次第なのだ。

それを歯がゆく思う移植推進論者もいるだろうが、そもそも死というのは、本人より周囲のものなのである。

本人は天の声に呼ばれて、ヒョイと去ってしまう。あるいは消えてしまう。本人は〈やるだけのことはやりました〉とハレバレしている。（夭折《ようせつ》、横死《おうし》で鬼籍《きせき》に入った人も、その瞬間はじたばたするだろうが、やがて宿命を知り悟入《ごにゅう》するであろう）

こまるのはあとへ残る人である。空虚感や悲哀をどうまぎらせたらいいのか。あとへ残る者こそ、じたばたする。それをいささかでも慰め、糊塗《こと》するために葬式はある。あるいはまた、〈何がドナー・カードやねん。あの子（またはあのヒト）の体を切り刻まんといてんか〉などとカードを破る遺族もいるかもしれない。故人の遺志など顧《かえり》みられない。

どうしようもない。本人は消失するのみで安楽だが、あとへ残る人こそ難儀である。「死」とはナンギなものだ。しかしそうしてナンギする人も、またあとへナンギを残して去ってゆく。されば葬式の銘柄を指定するのも空《むな》しいが、まあ、まだ若さの残っているときは、恰好の消閑《しょうかん》の楽しみだろう。

（「現代」一九九九年九月号）

「ヨタ」に生きる――南北的極楽《なんぼくてき》のすすめ

昔、大阪に食満《けま》南北という人がいた。本職は劇作家で、初代中村鴈治郎《がんじろう》の座付き作者であった。大阪の色里の踊り舞台、此花《このはな》踊りや芦辺《あしべ》踊り、浪花《なにわ》踊りなどの舞台本も書き、絵もよくし書をよくし、遊里の散財が大好き、という通人《つうじん》であった。もともとは堺の素封家《そほうか》のぼんぼんで、川柳もつくり文章も書く。自分では〈何でも屋や〉といっていたが、のどかな戦前の大阪では、こんな道楽な趣味人がのんびり生きられたのである。

せちがらい現代では、こんな人はもう出まいと思われるけれど、私は人間究極の極楽は南北さんみたいな生きかただと思っているので、この人は忘れにくい。二十有余貫という大兵《だいひょう》肥満の大男で、うまいもん好き、駄洒落《だじゃれ》好き、昭和三十一年の喜寿の祝いに筆をとって『すぎこしかた』という一文を草しているが、自分は「一生を通じてすこぶるヨタであった」といい、「凡《およ》そ遊びごとのように世の中を暮してきた」といい、更に凄いのは、「私は私の一代を通じて、『苦痛』というものを味わっていない」という。では南北翁は物知らずのナマケモノかといえばさに非《あら》ず（物知らずで、なんで歌舞伎の台本が書けよう）、学殖ゆたかな教養人で、才長《た》けた芸術家であった。ただし、自分の趣味に反するきびしい求道的《ぐどうてき》な修行や、禁欲的な精進《しょうじん》には縁遠かった、ということであろう。

一生、皆に愛され、大往生を遂げている。

私は思うに、女が中年以後、自分の美しさを磨くというのは、つまり南北さん風に、

「苦痛というものを味わわず」

「遊びごとのようにして」

「すこぶるつきのヨタ」

で、キレイキレイになってゆく、というのであらまほしい、と思う。私はエステというのにいったことがないが、〈キモチイイ〉というのであれば、そして資金の算段がつくのであれば、いったらいいと思う。しかし思ったほど肌が美しくならないから、経営者に抗議するとか、あるいはダイエット屋さんでウエストを揉《も》んでもらって、先方の広告通りにウエストが細くならなかったといって訴える、などといきまくのは、――若いうちならいざ知らず――もはや中年の域に達した人間のとるべき態度ではない。それは「ヨタ」ではない。

およそ、美容に関してカネを投じるには、ムキになる年代と、ヨタになる年代がある。

中年以後はヨタでよい。

「適当」にやるのは、自分の気やすめのためである。

それより、お化粧なり、おしゃれなりが、面白くなればいい、と思う。面白くなるのは、自分の美点を発見する能力が、（若いときより）うんとたかまるからである。

もっといえば、大体、中年（あるいは老年）以後に、自分の顔や容姿の欠点をあれこれと思う人は、それからしてすでに、「お化粧」や「おしゃれ」の本質から見放されてる人である。

中年以後になれば、自分は、

（美《い》いところだらけだ！）

と確信、満足すべきではないか。顔の皺《しわ》、目尻の皺、口辺の皺、首すじのたるみ、顎のたるみ、それらこそ、余人の及びがたい魅力ではないか。魅力を売りこまないで、なんとしょう。

それは自分に自信が出てくるからだろう。

自分の識見、人生観、分別《ふんべつ》、社会に対する批判、人間の見わけかた、——それらに自信がつくはず。すると自分自身に対しても、わが生涯の蓄積に対し、いとおしい思いになる。それが自分を好きになることであろう。

そうすれば鏡にうつる自分をことごとく、そのまま許容できる。

ただし、人生をわたるということは中々たいへんなことで、思い通りにいかないことも多く、自分に責任のあるようなないような、よくわからないことでも、自分のせいにされて、指弾《しだん》中傷されることもある。そういうとき落ちこんではいけない。中年女、あるいは初老女の沽券《こけん》にかかわる。人生で弱みのないやつなんか、いるもんか、あってなにが悪かろう。そこまで責任とってられるか！

〈いや、あれについては、ですね。いやもう、ホント、どうしようもなくて、……いやァ、困っちゃうんですよねえ……〉

と、うそぶいていればよい。それが南北さんのいう、「ヨタ」である。中年者、とくに女が長く生きる、というのは「ヨタ」でなくては生きられない。「まじめ」と「ヨタ」を交互にくり出して、とりあえずのテキを防ぐことである。

それから自分に惚《ほ》れること。自分を現にホメてくれる人がいるときはいうことがないのだが、これはちょっとしたきっかけで、お互い、ホメまくりあう、という手もある。ほめられると、人間はどんどん美しくなって見違えるようになるし、人をほめる癖がつくと、人の美点もよく目につく。

個人個人の遺伝子の違いもあり、民族的なものもあり、一人に適《あ》う美容が万人にも通じるとはいえない。しかし私の知人には、畑に生《な》ったへちまからわが手で採取したへちま水を用いるだけの、素顔の人も居れば、万金《まんきん》を投じて高価な化粧品を使い、つねに白塗りの壁、という印象の婦人もいたりして、それこそ千差万別である。しかし素顔のへちまレディのつつましいにこやかさも好もしく、白塗りミセスの闊達《かったつ》な話しぶりとユーモアごころもたのしい。そのうち、ダンダンどちらも美しく魅力的にみえてくる。そうなると「お化粧」や「おしゃれ」って何だろうと思ってしまう。

好き好きで「ヨタ」をやってりゃ、いいじゃないか。「ヨタ」をでたらめとか、くだらないおふざけ、と解するだけでは意味がせまい。もっと真剣なるものである。真剣に「ヨタ」るべきである。それだけの蓄積が女にも出来てゆくのだ。

「お化粧」の最後は「人品骨柄《じんぴんこつがら》」であろう。よき人品骨柄を獲得することが、女の最高の美であろうけれど、また、自分は「人品骨柄」がそなわった、これ見よと自慢するのも、鼻もちならぬ臭みであろうし、ねえ。「ヨタ」もかなり、むつかしい。

要するに、できるかぎり「ヨタ」に生きて、ヒトをも楽しませ、自分でも楽しむことであろうか。楽しんでいる人の顔は美しく、見よいもの。女たちの顔がかわると、日本の男もかわってゆくだろう。——人生をおりかかっている年頃の人間の、放談漫言《ほうだんまんげん》をお許し下さい。

しかし一言《ひとこと》、いかに「ヨタ」がむつかしいかというと、私もいまだに「ヨタ」っぽく生きてるだけで、真の「ヨタ」たりえず、従って、いまだに人品骨柄が出来ていない。

南北さん流に生きようと「苦痛」を避けたがる私だが、私の場合はただのナマケモノになってしまう。

（「婦人公論」二〇〇〇年三月二十二日）

どうぞこうぞの新世紀

新しい世紀までついに生き延びたか、という思いが強い。私の世代では、男の子は過ぎた昭和の世の戦争に、すでに年若い兵士として参加して戦死したのも居り、空襲で散った子もいる。（無論、女学生も多く爆死した。学生も勤労要員として軍需工場などへ動員され、そこが空襲の標的となったからだ）
私は「死すべき命ながらえて」こうして元気に新しい世紀の空気を吸っている。何ともはや、同世代の戦友にいうべき言葉もなく、（感謝では当たらず、慚愧《ざんき》というにも足らない）
〈ごめんね、生き延びちゃったよう〉
という感じだ。
あ、いいの、いいの、と彼ら彼女らはいってくれるだろう。われわれの分まで生き延びてくれりゃいいよ。——同年代の子の魂は「気良《よ》し」であるが、しかし、一方では

〈どないや、あんばい、いってるか〉などと無責任に好奇心まんまん、である。こういう時の返事、大阪者《もん》なら〈ま、どうぞこうぞ、やってます〉と応対することになっている。〈どうぞこうぞ〉は〈どうやらこうやら〉という意味だが、それよりもっと混迷度、惑乱度《わくらんど》がたかい。

うつりかわる現代の流れの速さに、戦中派ニンゲンはついていけないというところ。そういえば、このまえ若い男の子と話していて、古典の『方丈記』を私はつい話題にし、

〈あ、『方丈記』って知ってるわね?〉

〈えーと、学校で習ったっけ、何ッや水が流れて泡がブクブクして、人はあっぷあっぷして生きてる、いう……うろおぼえですみません〉

と彼は頭をかいてみせたが、いや、それだけ知ってりゃ大したもの、それでいい。たしかに水の流れに前世紀ニンゲンはあっぷあっぷしているが、しかし若い世代が流れのまにまに漂っているさまも心もとない。たとえばその男の子は絶えず携帯電話で呼び出され呼び出して話し、私との会話はその都度、とぎれる。

しかも彼は手の中のキカイを操作して文章を浮き上がらせ、私にも見せて得意気である。老眼には見にくい細字が並んでいて、〃さっきは自分もいいすぎました。忙しくて気が立ってました。以後、気をつけます。すみません〃——〈いやあ、先輩にちょっと

叱られたもんですから〉と青年はいう。

〈あやまるときはメールが便利ッすよ、あやまりやすいから。カッコ悪くないし〉

カッコ悪いのに耐えてこそ、ほんとの「あやまり」だろうが！　面と向かってしゃべること、人間の表情や雰囲気、ナマの言葉、ナマのカッコ悪さを回避して、どこに人生があるのだろう。この青年もやがて結婚するだろうが、結婚ほど、ナマの肉体、ナマの心がぶつかりあう場はないのに、どうするんだろう。

——などと知り合いの若い女の子に愚痴《ぐち》ったら、

〈だってどうせ共働きですもの。スレチガイ夫婦は、メールで用をすませることになるでしょ〉

と、あっけらかんとしていた。といっても、キャリア・ウーマンの彼女は、

〈当分、結婚なんて考えられない。仕事が忙しくって、やりたいことがいっぱい、あって〉

という。有能で、やりて、という評判だ。そういう女の子が現代にふえたのは、女のヒイキをする私としてはうれしいが、私はまた男のヒイキでもある。男社会には古来「武士のなさけ」「武士のたしなみ」という文化がある。女の子が男なみに仕事がデキルのは歓迎すべき時代の進展であるが、デキルだけではなくて、「武士のなさけ」という、男性文化の遺産も現代的教養としてリニューアルし、身につけなくては一人前の社会人

といえない。(今日びは男でもそれを取り落としている人も多いが)

女性は「武士のなさけ」というより、「観音サンの母ごころ」とでもいうかなあ。人の世は究極のところ人間の情《じょう》で成り立つ。情はナマ身のふれあいから生まれるのである。「武士のなさけ」や情は要《い》らざる摩擦をよけるチエ、冷たい社会のきまりごとに温かい血を通わすすべなのであるが。……

〈いや、大変だねえ。昔ニンゲンは苦労するねえ〉

と旧友たちはあの世から同情してくれる。

〈ナベちゃん、長生きしすぎたんだ、早《は》よこっちへおいでよ。こっちは魂だけが静かにふわふわしていて、気分、おちつくよ〉

厚意謝《しゃ》するに余りあれども、私は派手好きなので、そんな霊界は寂しいな。(魂にスパンコールや電飾をつけて神戸のルミナリエみたいにぴかぴか、パチパチできれば考えてもよいが。——)

ともあれ、新人たちが、日本という国のすてきな部分を知り、愛すべく貴《たっと》むべき文化《もの》がいっぱいあることに気付いてくれるよう、われら戦中派としては今すこしがんばろうという気だ。どうぞこうぞ、日本丸の航海つつがなかれと、旧友たちの魂も見守ってくれるだろう。


(「朝日新聞」二〇〇一年一月一日)

さよなら、カモカのおっちゃん——喪主挨拶

喪主の田辺聖子でございます。皆様今日はあいにくのお天気でお足許の悪い中を、遠路はるばる、主人・川野純夫《かわのすみお》の葬儀にご参列頂きまして本当に有難うございました。

さっき藤本（義一）さんに頂きましたご弔辞にありますように、おっちゃんが私の事をそんな風に見ていたなんて全く存じませんでした。（おっちゃんは藤本さんにこっそり、〈物書いて生きていくちゅうのは、えらい辛《つら》いことでっしゃろ、見ててもわかるわ。違いますか〉といったそうです）優しいところのある人だったんだなあ、といましみじみ思いまして、藤本さんにお礼申し上げます。

昨夜からの新聞に「カモカのおっちゃん死去」などとありましたが、これは最近のお若いかたは何のことだろうとお思いでございましょう、昭和四十六年から「週刊文春」に私が十五年間連載しました見開き二ページのエッセーの主人公の名でございます。私は、中年男性を登場させて、政治や社会風俗、ピンク種《だね》でも何でも憚《はばか》らずしゃべらせ、

私が相手をやんわりたしなめたり挑撥《ちょうはつ》したり、という設定にしようと思いました。あらゆる中年男性の代表のつもりですが、その中に川野も無論入っているのでございますけれども、それを〝カモカのおっちゃん〟と名づけましたのは、大阪や京都の古い言葉なのですね。子供たちが夕方おそくまで外で遊んでいますと、〈咬《か》もうか〉――かもか――と大きな口をあけた怖い化け物がくるデ、と大人たちに叱られました。架空の主人公が、なんで、即、川野純夫になったかと申しますと、挿絵を担当して下さった漫画家の高橋孟《もう》さんが、〈ワシなあ、モデルなかったら描きにくいねん〉とおっしゃって、手近にいた飲み仲間の川野を拉《らっ》して描かれたんですね。それで〝カモカのおっちゃん〟とはイコール川野のことや、と定着してしまって、みなさまに親しまれ、愛されることになってしまいました。川野も〈カモカのおっちゃん〉と呼ばれると一々弁解するのもめんどくさくって、〈おう〉なんて返事していました。何となく皆に好かれ、何となく親しまれ、そのままスーッと、セロファンのお皿にのっかって天国へいっちゃった――という印象の川野でございます。

もともとが楽しい人で、南国生まれらしくおおどかで小さいことにこだわりません。デリケートなところもあって、皆さまにとても温かい心をもっていました。それは川野の故郷へ参りまして、その気性のよってきたるところがはじめてわかりました。奄美《あまみ》大島の南端の小さい村が、彼のおっ母さんの生まれた所で、彼も小さい時よく行ったといいます。結婚して彼に連れられていきましたら、村中こぞって大歓迎してくれました。村中が親類みたいなもの、男の人たちは海へ潜って魚や貝をとって来て、女の人も入りまじり大宴会になります。お酒が回ると島唄が出、すぐ三線《さんしん》（蛇皮線《じゃびせん》）が持ち出され、人々は起《た》って踊り出します。狭い部屋から家の庭へ、そのまま外の砂浜へ。……その向こうは月の明るい海辺でございます。満月がのぼってきます。まるで、『魏志倭人伝《ぎしわじんでん》』の世界ですね。いつ果てるともしれない島唄、昼間はガジュマルの根元で昼寝して……というような育ちかたをしたら、こういう豪快な、そして男っぽいけれども芯《しん》は優しい、という男の人が出来あがるのかナーと、川野純夫の本質をちょっと覗き見た思いが致しました。

えーっと、あのう、今日はこういう席でございますけれど、もしおかしいことがあれば笑って頂いて結構でございます。祭壇のおっちゃんもご覧のように、はしたなく取りはずした笑い方をしております。皆で相談しましたが、やっぱりネクタイでかしこまった顔より、まあ、あけっぴろげに笑ってる写真の方が、おっちゃんをよくご存じの方《かた》からご覧になれば、これがホンマやで、といわれるでしょうと、飾らせて頂いたんでございますのよ。だから、私の話で適当に笑って頂いたり、くつろいで頂きましたら結構でございます。

川野純夫は大正十三年八月三日、鹿児島県大島郡、名瀬町《なぜちょう》（現・奄美市）で生まれました。旧制大島中学から鹿児島医専（現・鹿児島大学医学部）に進み、昭和二十三年に卒業、神戸へ参って診療所を開きました。おっちゃんにはお酒や女のひとや歌うことなど、好きなものがいっぱいありましたけれども、やっぱりいちばん好きだったのは仕事だったろうと思います。小さい診療所でしたが、地域診療の灯《ひ》をかかげて三十何年、そこで本当に喜んで仕事をしてまいりましたの。

ふしぎな縁で彼と知り合いましたのは、昭和三十八年度下半期の芥川賞候補に私が挙げられましたとき、ちょうど直木賞候補の一人に川野彰子《しょうこ》さんが入っていました。川野さんは立命館大学在学中から、神戸の名門同人雑誌「VIKING《ヴァイキング》」で小説を発表してらして、エンターテインメントの作品の、とても有能な書き手でした。川野のほうは結婚するまで彰子さんが小説家を志していることは知らなかったそうです。そのとき私はどうにか賞を頂いたのですが、彰子さんの方は次の機会に、ということになりました。ちなみにこの時の直木賞は、安藤鶴夫さん、和田芳恵《よしえ》さんでございました。

でもそのあとパーティで彰子さんと知り合い、阪神間に女流作家は少のうございますので、まあ、いいお友達ができたことと思って、もう一人、島京子さんという女流作家と、パーティなんかで会いますと、隅っこで三人、いつまでもしゃべりあっていました。お医者さんの奥さまで四人の子供があって、あなたよく書いてるわねえ、どうやって書いてるの、と聞きましたら、〈子供がまつわりついてきてしょうがないから、わたし立って書いてるわよ。それでも足もとへ慕い寄ってくるから、蹴散らしながら書いてんねん〉（笑声）――もう、私たち、大笑いしましたのね。

でもその夏に急死なさいましたのよ。まだ三十八、九のお若さでした。ちょうど私、白浜へ遊びにいっていましたけれど、神戸新聞からお電話頂いて、もうびっくりしてすぐ神戸へ向かいました。真っ赤な夏服を着ていましたけど、もうお葬式は始まっていますから、着替えに帰るひまはありません。焼香のとき見ましたら一番小さい子、幼稚園児らしい子がじっと坐っていられなくてもじもじしていました。親類の方が何かいわれて、――それは多分、もういいから、あっちへいらっしゃい、ということだったのでしょう、嬉々としてすっとんでいきました。それを見ると涙が止まらなくて。――

その頃、私はあちこちのコラムで、『川野彰子さんを悼《いた》む』という文章を書きました。それを読んだご主人が訪ねて来まして、〈あんたかて、そんな青い顔をして髪ふり乱して書いてたら、あんたも今に逝《い》きますよ。ちょっと日に当たりなさい、うら表、ちょっと日に干さな、あかん〉と、お蒲団《ふとん》を干すみたいなことをおっしゃって、（笑）ドライブに連れていかれました。その時におしゃべりしたんでございますが、よく気が合ったんでございます。と申しますのは（生まれましたのが）大正十三年と昭和三年、人体似たような時代です。日本の敗戦、という驚天動地の大変動を二人とも経験しました。私は当時の風潮で、その頃はちょっと左翼的な考えに染まっていましたのね。そうしますと、川野の方は、〈自分の世代の友人は殆《ほとん》ど戦死した〉——ご承知のように戦争末期になりますと医学部と理学部の学生を除き、文科系の大学生たちは戦場へ送られました。たくさんの学徒兵たちが戦死しました。以後の日本に人材の層が薄くなったのはそのせいでございますけれども、幸いに医学部に在籍して兵役を免《まぬか》れた川野は、やっぱりそのことに深い負い目があって、〈戦後になって皆が皇室のことをわるくいっても、自分はそう思えないし、日本の国の本質、日本の歴史観もすっかり塗りかえられたけれども、そんなもんじゃない。同世代の友人が死を賭《と》して守ろうとしたものを、今になって悪くいえない〉というのでした。僅かなところで微妙に二人の話のニュアンスが違いますので、とても面白くしゃべっておりますうちに、これなら結婚しよう、その方がおしゃべりしやすい、という話になりました。(笑) でも私は、〈だって、——子供が四人もいるんでしょ、家事も見ないといけないし、私は小説を書かないといけないから、双方とも、中途半端になってしまうわ〉といいましたら、川野のいわく、〈中途半端と中途半端が二つ寄ったら満タンになるやないか〉と。(笑) うまいこと言いくるめられまして、とうとう結婚、ということになってしまったんでございます。

まあ怱忙《そうぼう》の人生ではございましたけれども、幸い私は、ちっちゃい時に大人数の家庭で育った子供でございますのね、わりに大家族に馴れていました。でも毎日がめまぐるしく忙しくてあっという間《ま》に過ぎていきます。嵐のような日々でした。そのころ私は新聞二紙の連載のほかに週刊誌二つ、これは小説とエッセー、そのほか月刊誌に短篇二、三篇というところで、今から思いますと、どうやって書いていたかわからないんですね。そのうち子供たちも追い追い、家を出ていきますので、自宅を伊丹に移して、川野は神戸の診療所へ通うことになりました。二人きりの生活になりましたが、私の仕事のほうはいよいよ忙しくて、晩ご飯の用意もできないときがありました。

〈パパ、ごめんなさい、駅前のおすし屋さんでつまんできてえっ〉

という調子でしたのよ。川野はそんなとき怒る人じゃありませんので、素直に出かけます。その頃は足も悪くありませんでしたので機嫌よく帰って来まして、〈いやあ、あそこのトロは旨《うま》いなあ〉なんていいながら楊子《ようじ》を使いつつ寝室へいって、ぐっすり眠ってしまう。（笑）

せっせと書いている私に、せめて巻きずしの一本でも持って帰ってくれるかと思いましたら、それは全く、気がつかない。（笑）ひど、と思いながら、何も食べずに私は書きに書いていました。

でもいま思えば、そういう、あのう、……気のつかないところが、純夫の、いいところでございますのね。あーんまり、気を遣われると、物書きは、こっちも疲れる気がします。

まあでも、一緒にいればいるほど、ヘンな人でした。私はちょっと前ごろ、求められるとよく、色紙《しきし》に、「老いぬればメッキも剝《は》げて生きやすし」なんて書いていました。(笑)でも川野純夫という人は、老いなくても若いときからメッキじゃないんですね、素《す》のままなんです。裏も表もなくって、そしてもう、人間が大好き、お酒が大好き、その両方が出あった好きな人とお酒を飲む席、というのが大好きなんでございますね。男も女も好きでしたけれど、〇・一パーセントぐらいは女の人のほうが好きでした。また神戸という町が、女の人が元気な町で、よく働いてよくしゃべり、よく食べ、飲み、たのしい町なんですね。私は川野と結婚してから神戸を知り、神戸と、神戸の女性たちが好きになりました。

私は川野と知り合っていろいろ感化され、あっそうかと気付かされることも多かったのですが、おっちゃんの方も私によって啓発されるところもあったろう、と思うのは、女性観でございますね。昭和四十年代、東京から私の係の女性編集者たちがたくさん来てくれまして、川野はめざましい発見をしたろう、と思います。私を仲立ちに神戸の女の子を知ったという下地《したじ》がありましたから、

〈そうかァ〉

と。薩摩男が全部が全部、そうだとは思いませんが、川野は元来、女は家にいて子供を育て、男は働く、という考えでした。そういう信念がだんだん変化して、〈そうか、女の子もいい仕事するんだね〉と。東京の編集者は、才色兼備、みな別嬪《べっぴん》ぞろいや、と

いうことで、おっちゃんは大好きになっちゃいまして。――あのう、そうですね、昭和はじめの頃の落語家の三遊亭一朝《いっちょう》さんでしたかしら、辞世の句は、「あの世にも粋《いき》な年増がいるかしら」（笑）だったそうでございますが、只今のおっちゃんの感じとしては、（あの世にも美人編集者がいるかしら）

そう思って期待していそいそと彼岸《むこう》へいくのではないかと思っておりますわ。（笑）ですからおっちゃんはたいへん幸せな人生だったと思います。

「番傘」系の川柳作家の内藤凡柳《ぼんりゅう》さん、もう亡くなられましたけれど、九州の別府で「番傘」ふうのふんわり、やさしい句を作られました。その中に、

四人の子育つ選手も歌手もいず

というのがございます。イチローのような大選手も、ひばりのような大歌手もいないけれど、四人の子はすくすく育った――凡柳さんの自足の句でございます。わが家の四人の子もちょうどそのままおっちゃんの嬉しい気持ちでございましょう。そして只今、おっちゃんの喪の席に皆それぞれ市民生活を営み、子供を育てております。そしておっちゃんの喪の席にみな並んで坐ってくれた。私は川野になにほどのこともしてやれませんでしたが、それが一ばんの贈り物だと思っています。そして私もまた、皆さまから寄せられましたお

優しいお心を支えに、これからの生涯を、第三番目の人生、と思って、元気に生きていきたい、と思っております。

ちょっと前でございますが、東京で韓国人の尼さんの、運命をよく見るという方のお話をうかがったことがございます。そのかたはおっしゃいました。

〈あなたは今のご主人と来世《らいせ》も一緒だね、また夫婦だよ〉って。

私、

〈ああ、夫婦は二世《にせ》といいますものね〉

と何心《なにごころ》もなくいいましたら、

〈いいえ、違う。いまが二世で、三世もあなたがたは夫婦だね〉

といわれました。

えーっ、と私、そのとき目の前が真っ暗になりました。また変わりばえしない人生なのか。(笑) もういいです、二世で、と申しましたら、

〈きまってることだから仕方ないね〉

って。……

あのう、只今では、この人生を楽しく終えて、また生まれ変わったとき、どこかの町角で、これも生まれ変わったおっちゃんに、〈中途半端と中途半端が二つ寄ったら満タンになるやないか〉と、くどかれているかもしれないと思いますと、またたのしい思い

がしないでもございません。

本当に皆さま、川野純夫にお寄せ頂きました温かい篤いお志、友情、ありがとうございました。おっちゃんもまた、皆さまにこれからいいことがありますように、と、皆さまのお守りになってくれることと思います。

皆さま、本当にありがとうございました。

（「文藝春秋」二〇〇二年三月号。葬儀は同年一月十六日。西宮・山手《やまて》会館にて）

万夫《ばんぷ》みな可憐

「ウチのおっちゃん」——というのかなあ。

呼びようがない。

夫、は落ち着き悪し。日常語は「パパ」だったけど、文章語ではないし、ねえ。「お父さん」ともいえず。ましてや「主人が」ともいいにくし。「相棒」は戯文めき、「ウチのおっさん」では吉本っぽく、「ウチの男《やつ》が」も砕けすぎ。やっぱり「彼」か。

姓名の、川野が、純夫《すみお》が、でいえばよいと思われる向きもあろうが、私は若い女の子たちから、事実婚、別姓婚のハシリですね、と笑われており、入籍していない。結婚式は昭和四十一年の二月に神戸の教会で挙げたのだけれど、結婚後も忙しくて、入籍なんかする時間もなかった。入れとけよ、と「彼」はいうが、〈うん〉といいつつ、私もその時間が作れない。

〈原籍のある区役所がどこにあるのか、わからへんねん〉

〈電話で聞いたらええやないか〉

〈そうやけど〉というのもうわの空。当時、私には新聞連載が二つ重なっていた。そのほかに週刊誌のエッセーと小説が始まり出した。その少し前から、小説雑誌に短篇を毎月二、三篇という仕事が入っている。

小説雑誌の全盛時代だった。昭和四十年、五十年代。私は三十九年に芥川賞を頂いたが、私は元来救荒食《きゆうこうしよく》のような純文学より、本当はおいしいお菓子のような文学、ふんわりしてロマンチックで、すっきりとユーモアのあるロマンスが書きたくてたまらなかった。そのころのエンターテインメントの主流は、中年男女の情事、バーのホステスが、芸者が、という世界だった。書き手も粘液質の、べったり、どっぷりした世界であった。モーレツ時代がはじまっていて、経済復興にみな、血道《ちみち》をあげてる、という世の中。――でも、一方清新な抒情性も求められはじめていて、私の文学的脈搏と一部、一致したのかもしれない。書いても書いても注文がきた。私は「ボーイ・ミーツ・ガール」のかぐわしいロマンスを心ゆくまで歌いあげたかった。世の中はまだ戦前の迷妄《めいもう》の蒙気《もうき》がたちこめ、血気に逸《はや》る私から見れば、ものみな、古臭く動脈硬化して頑迷固陋《がんめいころう》であった。

私は、当時の感覚では、通俗で非文化的だと思われている大阪弁で以《もつ》て、〈フランソワーズ・サガンしよう〉と意気ごんでいた。

また、当時の頭のかたい愚鈍な男たちが、〈ハイ・ミス〉だとか〈嫁《い》きおくれ〉だとか〈嫁《い》かず後家《ごけ》〉なんて侮蔑的《ぶべってき》に呼ぶ三十代女性の魅力をのびのびと描いて示したかった。

ハイ・ミスの魅力や人生的腕力を言挙《ことあ》げしたかった。そして幸い、それらの物語《おはなし》たちは、たまたま愛して下さるひとたちに恵まれ、たんぽぽの綿毛のように世間へ飛んでいった。

――そういうとき、入籍なんか、知ったこっちゃ、なかったのである。

「彼」のほうも、はじめは思い出したように催促していたが、しまいにいわなくなった。私の収入の方が多くなったせいかもしれへん、と小松左京さんに冗談をいうと、小松さんは、

〈そらエラい奴《やつ》ちゃな、女房《よめはん》の収入の方が多うなると、早《は》よ入籍せえ、いう男、ほんまは多いはずやけどナ。おっちゃんはエラい男《やつ》や〉

というので大笑いになったことがある。

――だから、川野が、純夫が、というのも対社会的に馴れない。やっぱり「彼」か。

ただ、「おっちゃん」というのが世間に定着したのは昭和四十六年から十五年間、「週刊文春」に連載した見開き二ページのエッセーからである。主人公「カモカのおっちゃん」は架空の人物だが、挿絵担当の高橋孟《もう》画伯が「彼」の似顔を描かれたので、川野純夫イコール「カモカのおっちゃん」になってしまった。お酒ばかり飲んで、ちゃら

っぽこを叩いている「カモカのおっちゃん」は、べつに「彼」そのものではないけれど、ときどき、頂門《ちょうもん》の一針《いっしん》（人の急所を押さえたいましめ、または示唆《しさ》というか）とでもいうような逃げ文句を吐くところは似てるかもしれない。

昭和三十九年に私が芥川賞を受賞したとき、直木賞の候補に川野彰子《しょうこ》がいた。彼女の方は落ちたが、神戸の「VIKING《ヴァイキング》」の同人だったので、作家の島京子と三人で、阪神間のパーティがあると、よく話し、飲んだ。小肥りの、親しみやすげな、いかにも〃お母さん〃という雰囲気の人で、達者な情痴小説を書いて男性読者を悩殺させているようには、とても見えなかった。「小説新潮」によく発表していて、私より一歳年上だが、すでにして手だれのエンターテインメント作家であった。医者の夫人で、子供が四人おり、小さいのが〈まぶれついてきてうるさいから、立って書いてる。それでも寄ってくるから蹴散らしながら書いてる〉といい、私と島京子は〈ぎえっ〉と感じ入り、抱腹した。それから二ヵ月位あと、彼女は急死した。やはり生活の怱忙《そうぼう》がこたえたのであろうか。阪神間に少ない、「物書き仲間」を失って私は悲しくもあり残り多い思いで、あちこちに持っていたコラムに『川野彰子さんを悼《いた》む』『川野さんのこと』など書き散らした。

それを読んだ夫の川野氏なる人が私を訪ねて来た。大きな男だが、威圧感はなく、インテリ臭はないが、戦前の学生らしい雰囲気がすり切れず残っている、という風だった（それは戦前の女学生だった私だから、よくわかるのである）。二度目に来たとき、私は徹夜して書いていて、髪はぼうぼう、顔色は青かった。川野氏は、〈そんなことをしてると、あンたもいまにイキますよ〉といって、何だか注射をしてくれた。往診だと思い、私は、

〈いくらですか?〉

というと、それはいいから、少し日に当たりなさい、とドライブに連れていかれた。

その時以後、三十六年、私と「彼」は、毎日、おしゃべりをして倦《う》まなかったが、皮切りはたいてい世相批判であった。医学生だった彼は戦争に徴兵されることはなかったが、同世代の友人はみな戦死しており、彼はそのことで、〈いまの連中みたいに、皇室観や日本史観をクラッとかえること、でけへんですワ〉という。私のほうは彼より四歳下だが、

〈へえ。川野サンって頑固ねえ。あたしはすっかり変わった、と思うわ〉といったら、

〈女はよろしよ、変わっても。しかし男には含羞《がんしゅう》、いうもんがありますからナ。思想でも好みでも、急に変わるのに、含羞がある〉

小型西郷のような顔つきの大男と「含羞」が釣り合わなくて私は笑ってしまった。

（しかしそれでいえば、現在の私はまた変わり、川野に同調している。そしていまだに

戦争直後の信条思想に拠《よ》っている人を、頑固だと思うことがある。川野の含羞には笑わせられたが、彼ら彼女らからは含羞は感じられない）

ともかく話が尽きなかったので、これではいつも一緒にいれば、しゃべりやすいということになった。

〈結婚しよう〉と彼はいう。とんでもない、話に聞いてさえ、〈ぎえっ〉と仰天するような生活環境ではないか。子育て、家事に加え、小説を書くなんて、どっちも〈中途半端になっちゃうよっ！〉とどなったら、（彼は私の、どなり声にも金切り声にもたじろがず、怯《ひる》むということは一切、ない。声色《せいしょく》を動かさず、というコトバを昔、学校で習った気がするが、それはこういう人間のことかしら）

〈中途半端と中途半端が二つ寄ったら、満タンになるやないか〉

淡々といいくるめてしまう。くそう、と思うが、私のほうは焦るばかりで返事ができない。私の小説の中の主人公たちだったら、もっと小気味よく反撥するのにな、……と思いながら、それでも、いつのまにか、〈まっ、いいか〉なんて思ってしまう。――というのは、その当時、弟も妹も結婚して私は母と二人きりの生活だった。父は終戦の年に亡くなっているので、母にしてみれば、やっとこれから生活の安定が保証されるというところであろう。

私としても、女流作家が女親といるくらい楽なことはないのだ。まだ元気なお袋は充分、追い使うのに耐える。

しかし……だ。私は美空ひばりになりたくなかったのだ。ひばりは小林旭との仲を裂かれ、母と一緒に住むことになり（詳細の事情は知る由もないが）、結果として、ひばりは男より親を採ったことになる。私は、親より男を採りたい。また私の親ときたら（明治人間にこのタイプが多いが）命令好きだ。しまいに、あんなもの書くな、こういうところへ書け、などといい出すのは目に見えている。のちのちの面倒は見るけれども、展望のない安定生活より、波瀾万丈は予想されても、展望のいい、面白おかしい人生の方がいい——という気になったのであった。

私が黙ったので、彼は無造作にいいかぶせた。

〈ま、こんなトコやな〉

それは彼の常套句の一つで、事態収拾の終結宣言でもあるが、ナアナアのうちに何となく納得させられてしまうという、いわば土蜘蛛《つちぐも》の吐く、めくらましの糸のようであった。

結婚式のあと、神戸のトアロードにある東天閣で披露宴をしたが、彼の四人の子供、私の弟・妹一家が子連れで集《つど》ったので会場は阿鼻叫喚《あびきょうかん》。この中華料理屋さんで披露宴をすると、豪華なアルバムを記念にくれるのだが、仲居さんがそれを重そうに持って、

〈新郎新婦はどちら！〉

とどなりながら、部屋中をめぐっていた。みな中年男女なので、面食らったであろう。

嵐の日々が始まった。彼は私の仕事部屋に、といって山手《やまて》の異人館をぽんと買ってくれたが、仕事部屋で籠《こも》っていることなどとても私にはできなかった。中学二年をかしらに小二まで四人の子供、二階にはおじいちゃんおばあちゃんはじめ、義弟、義妹、叔母さんまで住んでおり、時に、私には続き柄の分からぬ親戚の婆さん爺さんが来ているという騒ぎ。朝は子供たちがてんでに食べて出ていくからいい、という義妹の話だが、私は徹夜の仕事をしたあとも、とうてい、眠っていることはできなかった。誰かがいてやるべきだ、という気持ちでいっぱいだった。子供たちは屈託なくそれぞれにパンを焼いたり、コーヒーを飲んだりしているが、当然のことに登校前の喧噪《けんそう》ときたら嵐のようである。

〈給食費！〉と叫ぶ子、〈今日お掃除当番やった！　雑巾もっていかんならん〉〈ここへおいといた宿題帳、知らん？〉〈靴下、ないよう、靴下！〉〈お兄ちゃんが、あたしのパンを奪《と》った！〉――いちばん下の小学二年の女の子は、茹で卵の殻がうまく剝《む》けず、〈ボコボコさんになってしまった……〉と泣き出し、小学五年の男の子は、〈体操服に十センチ角の赤いキレ縫いつけて、5と書いて！〉なんて登校間際に叫ぶ。

でも、私は、子供たちが登校するときには〈行ってらっしゃい!〉という人が居るべきだ、と思いこんでいたから、朝起きは欠かさなかった。夕食の準備は、家政婦さんに買い物だけを頼む。私が大人用も子供用のも作った。彼の教育方針はただ二つ。〈メソメソするな、喧嘩をするな〉——それも私は気に入った。

私は大家族の家に育ったので、かなり馴れており、こんな生活にも耐えられたのかもしれないが、なんといっても「彼」が面白かったから、いつとなく住みついてしまったのだろう。

昭和四十年代中頃は学園紛争まっ盛りで、ウチの息子たちも下っ端ながら紛争のまねごとをやっているらしく、学校から〈お父さんすぐ来て下さい。息子さんが〝ベトナム戦争反対〟のビラを校舎中の窓ガラスに貼ってます!〉という電話が入る。

〈貼らせて下さい〉

というのが彼の返事。また別の高校から、お父さんにちょっとお話が、と呼び出され、彼は車を引き出して憤然として出かけたが、間《ま》もなく帰ってくる。

〈おや、今日のお説教は早かったんですね〉

というと、

〈考えたら今日は阪神・巨人のデー・ゲームや。学校なんか行っとれるかい〉

平然としていう。何とも妙な男で、私の金切り声に動じない如く、息子らの奔放な所業にも、〈あらァ、ハシカみたいなもんじゃ〉といっていた。

医者としての手腕のほどは私には不明である。しかし彼は〈風邪ぐらいやったら、会社休んで、旨《うま》いもん食べて暖《ぬく》うして、じっと寝とったら癒《なお》る、クスリや注射やと、要《い》らんこっちゃ〉――という医者であった。西洋医学の徒が西洋医薬に不信感をもっているのは奇妙だが、患者さんとしては〈棚おろしで休めません、一パツで効く注射でもうって下さい〉などというそうであった。

当時はやったジョギングにも彼は反対であった。中年がするスポーツではないという。階段二段あがりも、おそろしい、という。そして、いちばん心得べきは、「面白疲れ」だという。

人は面白いことをしている時、つい疲労を忘れてしまう、というのである。これは（いえてるなあ）と、私も今にして思うが、彼も、「面白疲れ」が重なったのだろう、と思う。

私は嵐に巻かれるような生活に発見が多かったのだが、彼のほうも人生観の塗りかえということが多かったと思う。

元来、頑固な男権論者であった彼が、私を訪ねて首都からやってくる女性編集者たちと親しくなり、「女の仕事っぷり」に開眼して、

〈女もエラいんやなあ〉

というようになった。この点、まことに可塑性《かそせい》のある男だった。女について日々、発見しつづける男を見るのは楽しい。

誰彼となく来るので、毎日、宴会だった記憶がある。そのうち、舅《しゅうと》・姑《しゅうとめ》も送り、義弟・義妹も結婚し、子供たちも家を出たので、自宅を伊丹に移して、診療所へ彼は通うようになった。五十代の終わり近く、脳血管の障害で診療所を閉めることになった。それでもステッキをつけば歩ける。彼のフシギなところは、自分の病状に無関心としか思えない点である。私はいう、

〈テレビを見ながら、足を動かしてみれば〉

〈じゃまくさい〉

〈でもパパのためよ〉

〈ま、こんなトコやな〉

あたまを診断してもらうというので、筒の中へ入れられる。彼はいやだといい、あらがう。私は手を押さえるが力不足である。若い看護婦さん二人走って来、私に加勢して、ふしぎそうに聞く。

〈このかた、不随意筋の病気なんですか?〉

まさか、大のオトナが、いやがって抵抗する、なんて思えないらしい。

白内障の治療に入院したとき、手術後すぐ、自分の病室へ入ると眼帯をとってしまった。ちょうど見舞いに来た人が、

〈今日びは医学も進歩したんですねえ、手術後すぐ、眼帯がとれるんですね〉

なんて感心しているところへ、私が戻ってきて、

〈なにしてるのっ〉

〈がまんしなきゃ！〉

と大さわぎになった。彼にいわせると、眼帯が〈わずらわしい〉という。

なんでこの男と暮らしていると〈っ〉や〈！〉のつく金切り声になるのであろう。憮然として彼は、

〈イヤやから〉

という。

〈いやなこともしなきゃ、癒らないでしょうが！〉

わがままというのか、どうか。とにかく、好きなことしかしない、という人生信条のようであった。

車椅子でもいけるところは、旅行へも連れてゆき、彼も家にいるとは決していわない。私の講演にもついて来て、うしろの席で聞いている。

〈面白かったですか？〉

〈うん〉

〈わかったんですか?〉

〈うん〉

〈うん、うん、ってたよりないわねえ。……この次の時は、すんだら、せいこステキーって、どなって下さいね〉

〈あほ〉


家の中でも車椅子なので、私はバリア・フリーの工事をしてもらった。家で働く人に、「おっちゃん」のそばを通る時は必ず一こと声をかけて下さい、とたのんだ。テレビで相撲を観ている彼に、

〈どっち勝ちました?〉

なんて聞いてくれる。

〈知らん。いま誰かに聞こ、思《おも》てた〉

〈だって、大《おお》先生が現在、観てらっしゃるんじゃないですか〉

〈ワシは考えごとしてた〉

大先生というのは彼の呼び名である。

私はうちのぬいぐるみのチビが、いたずらをして困る、と彼にいいつける。彼はそば

のソファに坐らされている、小型スヌーピーのぬいぐるみの〝チビ〟に向かって、

〈こら、チビ〉

と叱ってくれる。――これが可愛い。

お芝居ごころのある男《やつ》だ。

ほんとに足が動かなくなっても、私は夜のあいだ二年間、看《み》ていた。下《しも》の世話もさりながら、いったんベッドから落ちたりすると、私の力では持ちあげられない。そのまま隣室へ引っぱってゆき、そこは絨毯《じゅうたん》なので、蒲団《ふとん》をかけて寝ることにした。寝ぼけた彼は、

〈みじめな宿屋やな、早よ帰ろ〉

――私の体が保《も》たない、ということになり、夜の間は看護になれている女《ひと》に代わってもらい、私は別の部屋でやすむことになった。二年ぶりに昏々と熟睡した。

起きてみると、彼は洗面所に連れていってもらっている。……らしいのだが、しーん、としている。

私は違和感があって、覗いてみた。彼はおとなしく、髯を剃《そ》られているところだったが、彼もだんまり、看護人も口をつぐみ、手早くさっさと手順がいい。

そうか。

私がやっているときは、朝々の目覚めのあとのこの時間、にぎやか、なんてものじゃ

なく、二人きりなのに、わいわい、がやがやだった。……私は、寝ざめの彼に、まず朝起きに笑うような話を、と前の日にいつも考えていた。朝、笑うと体が軽くなる、と信じているので。新聞のニュースでも、雑誌の記事でも、読者の投稿でも、面白いと思ったことをとにかくしゃべって、彼に〈へー〉とか〈ほー〉とか、声を出させ、うまくいけば笑わせること。私はしゃべりづめにしゃべる。

〈これだけサービスしたんだ、ありがとうっていいなさい〉

〈それが何ぼのもんじゃ〉

〈あたしが死んだら殉死《じゅんし》する？〉

〈そんな、ぶさいくなこと、できるかい。人聞きもはずかしい。世紀の大スキャンダルじゃっ〉

彼を笑わそうと思うのに、いつも私のほうが笑ってしまう。かくて、朝の洗面所は、わいわいがやがや、というわけだった。

それがいま、しーんとして、彼はされるがままになっている。

でも、しょうがない。私の体力にも限りがあるから、ごめんなさい、はいわない。入院することになり、看護人に任せ、私は仕事の合間に毎日通った。見舞い客が毎日のように来てくれる。

〈私、定年になりました〉といってくる人には、〈まだひ、よ、こ、じゃっ〉と励まし、〈先生の髪、黒いですねえ。ぼくはどうしてこう、薄いのかなあ〉という人には、〈そら、きみは脳味噌が薄いんやろ〉なんて答えて、みんなを楽しませていた。自分のしたいことだけをする、という姿勢はずっと変わらず、点滴の針を引きぬいて看護婦さんを困らせたりし、その死に顔はいかにも、〈ま、こんなトコやな〉といいそうだった。それこそ、「面白疲れ」であろう。

とっても彼が可憐に思え、それはまた、男みな、可憐、という気にさせた。死んだから可憐になったのではなく、男のうちにはいいものがいっぱいあり、男って、なんていい生きものなんだろう、と思わせられた。

（「婦人公論」二〇〇一年四月七日号）

II

女はみんな才女である

才女という言葉がもつイメージには、むやみとキラキラしい都会的な、鬼面《きめん》人をおどろかすたぐいのもの、不毛だが派手な才能、外見華麗にして内容空疎といったロココ女流、そんな概念があたえられています。

だからふつう、世間では、才女といえば、人よりぬきんでてすぐれた智恵才能をもち、世上めざましい活躍をしてみせる女流のことだと考えるでしょう。しかし元来がそういう才幹《さいかん》（芸術、学問）は男性と同列において評価されるべき性質のものであり、だから大方の才女が柳眉《りゅうび》を逆立《さかだ》てて指摘したように、そんな場で使う「才女」なる語は、ちょっと軽侮《けいぶ》の匂いがあるようです。

万人《ばんにん》がすでにその業績の優秀をみとめるにやぶさかでない、女流の老大家《ろうたいか》や婆さん博士を、かりにも「才女」などとは呼ばないことをみても、才女の位置がわかろうというものです。

男と肩を並べて、隣り同士のコースで抜き手を切ろうという偉い女流を、「才女」などと軽々たる口吻《こうふん》で呼んではいけないのです。それは「烈婦」とでも「傑女」とでも、適当な語を考えればよく、そしてそういう世界に身を挺《てい》して苦闘していられる女流たちは、げんに男性をしのぐほどの成果をあげていられる方《かた》が多いのですから、ここでは才女の概念からはぶきます。

ところで、私の考えている才女の「才」はもっと一般的普遍的な「才」なのです。もっともいきいきしたもの、ピクッ、ピクッと息づいて震えているような皮膚感覚、流動し、噴出し、沸騰し、あるいは火と燃え、あるいは地下水のごとく浸透し、形もなく、いまだ人に知られず、したがって名づけられたこともなく、しかしあることは歴々として疑いもないもの――それはオール女性がひとしく神から恵まれた「女の叡智《えいち》」なのです。

女という女にまんべんなく平等に、豊富に恵まれ、女の全人生、全生涯、全人格的に、それぞれ顕現《けんげん》発揚している、「ある種の生きる才能」としか、いいようのない才能のことであり（またそれが女の才智の、いちばん正しい、本来のありかたのように思われるのですが）、そういう才能をもっている女を才女、と呼びたいのです。

そして、女は、女であることとそのことにおいてすでに才女なのです。

つまり、女に生まれたらみんな才女であると私は考えるのです。女という女はみんな、であるのですから。

大多数の女は、絵の具をつかって絵を描いたりしません。しかし、自分の生涯で、人生という絵を描くわけです。ほとんどの女は、小説を読みこそすれ、自分で書こうなんて思いません。けれど自分の生活でもって一章ずつ綴《つづ》ってゆくのです。女たちが自分の才智で表現する生涯はほとんど芸術作品といえます。

そしてそういう才は、さきほどのキラキラしいロココ才女の才とちがって、そこにあるとも人に知られぬような、隠微《いんび》なものですから、おもおもしく濃く粘ってよどみ、社会の底に音もなく沈澱して何とはない未知の圧迫感となり、はてはメタン・ガスをふき出してあわれな男どもをしらずしらず、萎《な》えさせているわけなのです。

けれどもこのメタン・ガス、つまり「女の叡智」（あるいは、ある種の生きる才能）は、無味無臭、無色透明ですから、いっこう男たちが気づく気配もありませんし、将来もまあ、気づく男はないでしょう。女としてはまことにお家安泰、千秋万歳《せんしゅうばんぜい》、ご同慶のきわみです。男の人は、女の才能なんてちょろこいものであるとし、特定の時期、特定の人たちにだけあるものと思っているのですから、思えば甘いものです。ちょろこいのは男です。

いわゆる「才女」、女流芸術家や女流学識タレントは、男の戦友ではあっても、男の敵には寝返りません。男の宿敵は、やっぱり女です。そしてその女がみんな才女ですから、男としては苦戦でしょう。同情します。

男たちが才女の概念をはきちがえて、ロココ才女をからかったり、皮肉ったり、ほめそやしたりしているあいだに、本質的なテキはからめ手へ回って、太古以来の連綿たる伝統で男を腐蝕させつつあるのであります。

＊

女はたたかいます。

どんな貞淑な女も、どんな正直な女も、どんな愚鈍な女も、「ある種の生きる才能」にみちみちていて、「打てばひびく才女」なのです。才智を深く匿《かく》してはいるものの、ピッと稲妻がひらめけば、間髪《かんはつ》を容《い》れず雷鳴とどろくような才女ぞろいなのです。

女をみくびってはいけません。

女はどんな女にしろ、女でさえあれば、いまバカでないばかりか、かつてバカだったこともないのですから。

男は自分を表現するのに、仕事や使命や義務をおもて看板に押し立てます。しかし女は他人の思惑もかまわず、恥も外聞もなく、なりふりかまわず、自分のセックスをもって、自分を表現するものです。

男はセックスを自分の人生のほんの一部分だと思っていますが、女は、セックスを通じて自分の全人生を表現しようと考えます。ここでいうセックスは狭い意味の性生活ではなくて、女が食べたり着たり、笑ったり眠ったり、恋したり子どもを産んだり、その子を一人前に育てあげたりの女のいとなみ全体のことです。

才智こそ女の優雅な武器、謀略こそ女の残忍な柔媚《じゅうび》。これを緩急自在に使いわけて、女は孫呉《そんご》の兵法家もはだしで逃げるようないくさ上手でもって、男を翻弄《ほんろう》しているわけなのです。

「どんな策士も女にかかっては、最も真実な女と肩を並べるのがせいぜいです」

と、ラクロが『危険な関係』の中で嘆ずる所以《ゆえん》です。

（ここでちょっと念を押しておきますと、烈女型の女流タレントも、男と同等の仕事の才能のほかに、女であるかぎり、ある種の生きる才能をもっておられる才女であることはいうまでもありません）

さて、こうして見渡すかぎり才女の波、どこにもここにも捨てるほど獲れる才女の波です、が、この才女たちの才智謀略の特徴は二つあります。

その一つは、その才略が、恋とむすびついたとき、何らかのかたちで異性に対したときに、いちばん強力な磁気を発するということ。（お金だの名声欲だのに対する才気や機智は、男に対するそれのバリエーションにすぎないことが多い）

女たちが男相手にくりひろげるかずかずの恋の手くだ、結婚作戦、恋愛戦術の多彩ぶりはとても信じられないくらいで、これをたとえていえば、

　この頃のわが恋力《こひぢから》記し集め功《くう》に申さば五位《ごゐ》の冠《かがふり》

という、くらいなものです。

　もっとも、この歌は『万葉集』巻十六にある、嗤笑歌《ししょうか》ですが、「恋についやしたこのほどの苦労を、お上に功績として申したてたなら、ゆうに五位の官位に叙せられるだろう」という、戯《ざ》れ歌《うた》です。これはしかし、あきらかに男の歌です。むくわれぬ恋に悩む男のほろにがいユーモアと自嘲《じちょう》の歌です。女にふられた道化役の自分を客観視して、皮肉な自嘲を口吻にただよわせていますが、やっぱり女にはよめない歌です。なぜなら女は自嘲することのできにくい種族だからです。

　女は自分を嗤《わら》うことはできません。

　女はあらゆる物事において、自分を否定することができません。自分を皮肉ったり自分を茶化したりはできません。女は自分の立っている所が地球の中心だと思いこむタイプの種族なのです。女性にユーモア作家の少ないのもそのせいですが、それは問題の性質からすこしそれますから、他日の機会にゆずるとして、自分を客観視し得ないという

女本来の特質が、女の駆け引きの才を、ますます磨かせるのではないかと思われます。
ところで才女たちはどんな駆け引きを策して、日常、男を籠絡《ろうらく》しているのか。いったいそれを男たちはどううけとめているのだろうか。
この世に暗躍し、跳梁《ちょうりょう》している女たちの、狡猾《こうかつ》で巧妙で美しい縦横の機智才略を、男はほんとうに気づかず、のんびりと太平の夢をむさぼっているのだろうか。
女は、あさはかで・しおらしく・あわれげに・愛らしくも・おろかな・いたいたしい・一人だちのできぬ動物であり、かならず男がめんどうを見てやらねばならず、そこは腐っても鯛、男権優先も故《ゆえ》のあることだと男風《かぜ》を吹かせて心にふかい満足をおぼえている——そういう男の人たちが、案外、お釈迦さまの掌上《しょうじょう》で踊らされる孫悟空みたいに、女の手中で踊っているのかもしれないのです。たとえば、男性が結婚を決意する。これは一生にも何度とない大きな決意でしょうが、純粋に自分で判断し、選択し、決意してそこへ到達している人はあり得ないわけで、その過程において、女が多く投影したか、少なく投影したかのちがいだけではないか、と思われるわけです。
A雄がB子と見合いをしたときに、A雄は可もなく不可もなし、という感想を彼女にもったのですが、たまたま好物の話になって、
〈何がお好きですか?〉と、きかれたA雄は、
〈中華料理のカニ玉です〉と答えました。B子はさも嬉しそうにニッコリして椅子をす

すめ、

〈あたしもよ、偶然同じですのね〉

と手を叩いていうのでした。それからスポーツも音楽も聞けば聞くほど趣味は一致しているようだし、何よりA雄は、一致のたびに飛び上がってよろこぶB子の姿に、その事実よりB子の気持ちにまいって、彼女を選んだのです。

結婚後、A雄はカニ玉をつくるように、新妻のB子に頼んだのですが、彼女はカニ玉を見たことも食べたこともないと、びっくりして彼にいうのです。それは彼女が、以前、それを好きだと断言したことすら、忘れはてていることを示していました。

（僕はぺてんに掛かったわけですが、それでもB子はそこまで出まかせをいうほど、僕に目星をつけたッていう、そのへたくそな、可愛らしい、すぐしっぽの出るような作戦の拙《つたな》さにめんじて許してやったのです。――うそでもいい、とにかくこの男を手放しちゃたいへんだ、そんな気持ちでB子のやつ、いいかげんなことをいったにちがいないんです。

そのあわてふためいた感じが、いかにも女らしいうそつきの面白さで、まあ、僕としては、憎からず思いこそすれ、決して……）

というようなところへおちつくのですが（これは実話です）、男は大所高所《たいしょこうしょ》にたって女をうまく操縦しているおつもりのようですが、その実、女は、そういうふうに動く男の心理を計算していたのかもわかりません。
B子だって、ちゃんとねらいをそこへ置いて、確実な球を打ったのかもわかりません。

＊

たくさんの彼に逢うために、どれだけたくさんの彼女が時計を見、用事を作りあげ、会話を思いつき、悪魔も舌をまくような周到な計画を立てているか、わからないのです。
男のほうは、まさかそこまでは、と疑うこともしらないわけですから、バッタリと逢ったりすると、それが巧妙にしくまれたワナだとは思いもしません。
〈あら、またお逢いしましたのね〉（予定の行動）
〈偶然ね、ちょうどそこまで行くところだったの〉（とっさに予定変更）
〈そんなこと……ほんと？　全然、知らなかったわ〉（ちゃんと知ってる）
〈知りません。教えて下さい〉（先刻ご承知であるが、こういわれて機嫌の悪い男性はありません）
それから表情や会話のいろいろに、そういう無数の謀略が、黒い霧のごとくたちこめ、からくりの網が、目にみえずはりめぐらされている、そんなモヤモヤで、女の在《あ》るところ、どすぐろい妖気がたちこめているという、あんばいです。
たまたま、そんなことは私にはできないと思う女たちも、才がないのでなく、ただその勇気がなかったり、プライドが才をうわまわったというだけの場合が多いのです。女たちは無数の、こんな手のこんだ細工が大好きなのです。女たちのいう無心の言葉のいちいちが、彼女らの頭脳をしぼった作戦の一端であるかもしれないのです。

それにしても、男が、この女は自分の気に入った、ぴったりのタイプだと思うときは、たぶん本当にそうであるときは少なくて、女というものが男ののぞむ性格を見通す力をもっている、そのせいではないかと思われるのですが、それはあんまりうがちすぎでしょうか。

女というものは、男を愛すればしぜんと、男ののぞむ女のタイプをからだ全体で漠然と察しぬき、またもやしぜんと、自分が「そういう女」になってしまったような錯覚を感ずるのです。男のほうはなおさら、その錯覚を美化してしまうわけです。

私は女というものは、女らしくある人であればあるほど、固有の性格なんてないように思えてしかたがないのです。

若い人はそんなことを聞くと侮辱《ぶじょく》されたように思うかもしれませんが、それは女としてありがちのことだし、最も女ほんらいの姿のようにさえ、思われるのです。

〈どんな性格がお望みですの？　どんなのにでも化《ば》けますわ、早く早く、おっしゃってよ〉

そういって熱心に耳をすまして男の返事をまっている、そんなふうにみえて仕様がないのです。

ある種の人にはヒンシュクを買うかもしれませんが、「永遠の女性」とは結局、そういう女たちのことをさすのではないかと、思われるのです。

男が気づかないのは、女が、それを無意識にやることがあるからで、女自身でさえ、これが謀略をめぐらしている状態だとは気づかずに動いていたりするのです。しぜんの心の働きが、女には謀略以外の何ものでもないようにくみたてられているのです。

こうして男と女がひとつの単位となって、家を作りあげると、こんどは妻が夫をいかに籠絡するかの証拠に、男たちは口をひらけば、

〈ウチのヨメハンが〉

〈うちのカミサンが〉

〈うちの家内がこう申しましたが〉

〈うちの女房がこういうんだ〉

と一日に十ペンくらい、申されるのをみてもわかろうというもので、女房の意見や思想が、亭主の口を借りて世の中へ伝播《でんぱ》されることすごいものがあります。

こうみてくると、世の中を動かす底部の力は、女の意見であるような気もされます。

政治にしろ経済にしろ、女のたがやした土壌のうえに、男たちが咲かせたあだ花のようなものかもしれません。

封建時代の女たちも、あんがい忍従の生活を強《し》いられているようでいて、そのくせ、わりあいのんきに、刀をさしたサムライをあごで指図していたような気がするのです。もちろん、賢い女の智恵によって、そんなことはおくびにも出さず、男がそれを自分でえらびとった意志だと思わせて、結局は妻の書いた筋書きどおりに運ばせていた――そんな女たちの、声のない、ふかい満足のほほえみと溜め息が、過去の歴史の闇の底から、くろぐろとした妖気のように立ちのぼってくる気がされるのです。これは歴史書にも古典にも書かれていない、女の歴史ですけれど。

そうみてくると、女の才智謀略は、あんがいかよわい女の、男に対抗するための自衛手段、本能的な武器だったのかもしれません。

＊

女は太古から男に対するたたかいのために蛇の智恵を授けられ、それをいみじくも駆使し、そのことすらかくしおおせて来たのかもしれません。

ただ、ここでいえることは、世の多くの女性が、結婚するまではあんなにも強烈だった女の才智を、往々にして結婚後は停止閉塞《へいそく》してしまうことがある、それです。何か、マクが張ったように、一所けんめい目をみはって周囲を見ようとしても、モーローとした状態となり、自分の状況を見通せないようになってしまいます。どっかりと安心するからでしょうか。

そのために女の才智は神通力をうしない、もはや男をあいてに緊張した、しかし生き甲斐のある謀略を張りめぐらすこともなく、したがって男のほうはことごとにあてがはずれ、こんなはずではなかったと、「永遠の女性像」がガラガラと音をたてて崩壊するありさまに、後悔のほぞをかんでいる男もあるでしょう。

でももっと賢い女たちは、なおもうまく才智を働かせて男を自分の思う方向へ押しこめています。ただ、結婚してからは、以前より放胆《ほうたん》になり、自分の方向をせっかちに露骨に押し出すようになるため、その謀略の手の内を夫によまれたり、内かぶとを見すかされたり、ということはありますけれど。しかし、おおむね、このクラスは良妻賢母で、夫も満足しています。

それから、もう一つのタイプ。夫は、(まったく、ウチのヤツはしようがない、何もできないんだから)と思いながら、妻にたいするかずかずの不服を心の中で並べたて、その不服が、妻に対する愛情となっていることに気づいていません。このクラスの妻は、たいがい夫より数等うわてのしたたか者で、それゆえに、愛情をさめさせない手腕はなみなみならぬもの、良妻賢母じゃない、悪妻型が多いのですが、本当はとてもしっくりいっている夫婦なのです。

ところで、私はさきに女性の才智に二つの特徴があるといいましたが、その一つは恋の手くだにおいて発揮されることと、あとの一つは、自分につながることにしか働かない、ということです。

その才智を大きな組織とし、対社会的に働きかけるものに使わない。熱狂的なまでに自己の利益にむすびつける。そこに特徴があります。私は女の才智を結集したら、「五位の冠」ぐらいでなく、世界歴史を書きかえるに足るエネルギーになるのではないか、と大いに期待し、戦争好きの男どもの荒肝《あらぎも》をとりひしぐような、平和建設のための大謀略を世界の女たちが張りめぐらさないものかと念じているのですが、どうもかんじんの、こういうことになると、たちまち収拾のつかぬ井戸端会議になるさまが、今から目にみえています。それゆえ、女の才智の第三の特徴として、「才女はみんな孤独で活躍する」ことをつけ加えておかねばなりますまい。

一人ぽっちで、男相手に、自分のためにのみハカリゴトをめぐらす才女たち。

町角でみる娘、チョコレートを買ったり、むこうむいて靴下をあげたり、映画館をのぞいたり、ラーメンをたべたりしている女たちの、そのどれもが心に蛇の陰謀をいだいていると思えば、みんなが耳のピンと立った、可愛い悪魔に思えます。

さて、最後に、才略を全然もちいない、じゃまくさがりの、ものぐさな女たちもいることをつけ加えておきましょう。私がそうだからです、——といえば、〈自分だけ、エエカッコするな！〉と女性たちのお叱りを受けるでしょうね。それとも男性たちには

〈そいつも無策の策だろう〉とひやかされるかもしれません。

（『女が愛に生きるとき』一九七三年・講談社。初出は「婦人公論」一九六五年五月号）

女の幸福　女の友情

女性の幸福とは、そも、いかなるものであるか。何も、わざわざ女性の、とつけなくても幸福は男女両性に使われる言葉ではないかと反論する人もあるかもしれぬが、私は、もともと男女同権論者ではあるものの、こと幸福に関しては、わざわざ「女性の……」とつけたくってたまらぬのである。

誰が何といおうと、断乎としてつけたいのである。

といっても、幸福の種類わけをして、化粧品みたいに男性用幸福・女件用幸福とあるわけではないが、女性の場合、幸福である状態が、他人からは全然、価値判断が狂って、ずれていることがある。それにくらべ、男性の幸福はわりあいに、他人をも納得させられるかたちの幸福が多い。

つまり、人がみてさぞあの男は幸福だろうと思うような状態を、あんがいその男自身も、幸福がっていることが多い。

というのは、私はやはり、男性というものは社会に生きる種族である以上、社会的通念のとりこになっているから、他人の眼と自分の眼がぴったり一致している、ということにあるのではないかと思う。——家をたてたり、美しい奥さんを得たり、課長に昇進したり、ゴルフで優勝したり、仕事が順調にいったり——という、第三者をも説得できる力をもった客観的な幸福でないと、幸福でないように思ってしまう、そういう気持ちも、男性にあるのではなかろうか。

たとえ、かりに、充たされぬ、うつろな部分があったりして、（こんなうわべだけの幸福は、しんからの、人間の、あるいは男の幸福じゃないぞ）なんて思っていても、男は対社会的にも対家庭的にも弱音をはけるものではないので、そんなこと、おくびにも出すことはできない。傲然《ごうぜん》と、はたまた悠然とかまえて、

——部長にご昇進だそうで、おめでとうございます。

なんてちゃらっぽこを叩かれると、

——うん？　ああ、いや、まあ、ね……。

なんてうなずいていなければならぬ。

——ようもうかってはりますやろ。

とうらやましがられたりすると、

——いやあ、ええかげんなこってすわ。

と、得意そうな顔もみせねばならぬ。男の人は不便で気の毒なものだ。

女はそこへいくと、本当に幸福であることは、他人の見る眼や世間体《せけんてい》より、自分自身の心と直結して考えられる。そして、たとえ、周囲が、（不幸な女だ）と同情していても、意外と本人は幸福いっぱいで、鼻唄暮らしのときもある。

女性の忍耐づよい底力が発揮されるのはこういう時で、もしそうでなければ、夫が逆境や不遇のときにスタコラと逃げ出す妻が、もっと多くなっていると思われる。


私が女性の幸福、ということを考えたのは、先年遊びにいったマニラの町であった。

一月というのに、南国のマニラは暑くて暑くて、〈これでもましなんです。一年中でいちばん凌《しの》ぎよい時ですよ〉といわれたが、日本の七、八月の気候だった。二日めに町を案内する役目を買ってくれたのは、日本の若い女性の花村さんである。花村さんというのは仮名だが、マニラに着いた日の夜、私はいろんな人から彼女の話をきかされた。

フィリッピン青年と恋愛して周囲の反対を押し切り、ついに日本をとび出して恋人のあとを追ってきた……マニラで恋人の出迎えをうけ、派手に抱擁したところを現地の新聞にセンセーショナルに報道された……フィリッピン青年は失業者で、しかも、両国の現在の政治外交上、日本人は永住権がとれず、結婚しても彼女は数ヵ月しか住めない……一度日本へ帰ってまた出直すということをくり返さねばならぬだろう……。

〈何よりね、そのフィリッピン人の話が、現実とはちがってましたからね、彼女はショックだったでしょう。こちらは物価は高く生活は苦しく、仕事はなく、風俗習慣はころりとちがいますし、ね……〉

〈まあ、ていよくだまされたんですなあ〉

〈気の毒な娘ですよ〉

〈早く目がさめるといいですがね〉

と、在留邦人《ほうじん》の男性方《がた》は口々に、そういわれた。それは何も、国産品愛用という立場から彼女をとがめたのではむろんなく、ただただ彼女を気の毒に思い、その不幸に心から同情しておられるようすにみえた。で、私も何だか、そんな先入観念で逢ったのであるが、かっと照りつける明るい日ざしのせいか、はじめて逢う花村さんは、屈託のないあかるい娘さん(正確には奥さん)だった。

いまは共かせぎをしないと食べてゆけぬので、日本人関係の会社へアルバイトしにいっている。それも内地にいるときはある会社の社長秘書をしていたという経歴があるせいで、東京の娘さんらしく、小柄だが愛くるしい顔立ちに、達者な英語、よりぬきのOLによくある、きびきびした快《こころよ》い態度、話しぶりも品があってユーモアを失わず、快活で申しぶんのない日本女性だった。

彼女は、フィリッピン人の運転手に指図して、マニラ郊外のパグサンファンの滝を見につれていってくれた。

白い大きな蒸しパンのようなものを、バナナの葉に包んだおやつを、彼女は持って来ていた。

〈これはポトといって、こちらの子どもたちのおやつですのよ。ホテルの食事ばかりめし上がってらっしゃるから、こんな駄菓子も珍しいかしらと思って……〉

と彼女はいったが、その心づかいも、やさしくてインテリジェンスがあった。

〈あれが水牛《カラバオ》です。こちらの人はとても、水牛を可愛がります。まるで、自分の子どもみたいに……。あれがココナッツ、あれはカレサという馬車です〉

おもしろく案内してくれる花村さんは黒い眼鏡《サングラス》をかけて、白いポプリンのワンピース（そのデザインは日本の銀座の夏をほうふつとさせた）を着ていた。色は黒く、顔にはニキビがあった。

〈マニラに半年いると、もう真っ黒になります。太陽がきつくて……内地からいらした方は色白でうらやましいわ、それだけは〉

花村さんはそういった。私たちは、運転手の人が日本語をわからぬのを幸い、ここをせんどと、久しぶりの日本語を、使い合った。

〈でも人間の運って、ふしぎですね〉

と花村さんはきれいな歯並びをみせて笑った。

〈こんな所へ来て結婚しようなんて夢にも思わなかったの……〉

〈どうして知り合ったの？〉

と私は聞いた。

〈最初、彼が学生のころ日本へ来ました。そのとき偶然知り合って、それから手紙を交わして……とうとう、マニラへ来ました。両親もみんな反対でしたけど、でも、あたしは来てよかったと思います……だって、あたしにとって、結局、ただ一人の人というのは前からきめられているものじゃないかな、という気がするんですもの。その彼が、たまたま、フィリッピン人で、マニラに住んでた、というだけ……〉

そういう花村さんには、みじんも暗いかげや、だまされた娘、というようすはなかった。

頭のいい、いかにも怜悧《れいり》そうな女性なので、私はどっちへころんでも、彼女なら大丈夫だと安心はしたものの、何より、彼女のいかにも満ち足りた幸せそうなようすに打たれた。

彼女には、在留邦人の人々の不安や同情は見当はずれなものなのにちがいない。そして花村さんの口から漏れるのは、ご主人とのむつまじさばかりである。

〈マニラ湾の夕焼けはきれいなんでしょう？〉

と私がきいたら、

〈ええ、主人とよく散歩します〉

〈マニラの町で名物は何ですか？〉

〈さあ、ピストルを下町で売ってますけど、こればかりはね……主人がこのあいだも、ピストルを買いたいという日本人につかまって困ったんですって〉

〈エヘン、マニラでは物価が高いので、お困りでしょうね？〉

〈ええ、それに、食べものも変わってて……日常の生活程度は、とても日本とは比べものにならないくらい低いですわ。でも、そんなこと、どんなに考えても仕方ありませんし、二人で健康に働いていさえすれば、と思って、主人といつもはげましあってますの。主人って、とても朗《ほが》らかなんです。主人にいつもなぐさめられて……〉

〈エヘン、エヘン〉

と私はつづけざまに咳《せき》をしたが、もとよりこれは感冒にかかったのではなく、「主人」という言葉を乱発するときの、彼女の表情にある幸福さにあてられたのである。

女の幸福は直観的で、野性的にまでエゴだ。

人の評価や判断にたよらない。

女は自分自身、心から幸福と思わなければ、しんの幸福とは思わないものらしい。

〈いや、まあ、ね〉と満足をよそおったり、〈ええかげんなこってすわ〉と得意らしくみせたりする演技はいっさいしない。

スタイリストの女が、こと幸福にかんするかぎり、演技などはかなぐりすてて、生地《きじ》をむき出してしまう。愛し合ってる夫婦や恋人たちを見ると、ベタベタデレしてかくそうともしないのは、たいがいご婦人のほうである。〈女は文明社会に生きる野蛮人だ〉という男性の毒舌は、しかし私には、女の自由さを羨望している男性の叫びのようにきこえる。

*

年若い人の恋愛体験の深入りを、オトナがいましめるのは、オトナが人生の快楽の袋をかたくしめて、出し惜しみするためではない。ましてその機会に恵まれることの多い若い人をうらやんだり、そねんだりするためではない。

恋愛よりまず友情を知ってほしい、と願うせいではあるまいか。

恋を知った、——若すぎるころに恋を知った人々は、もうそのはげしい刺戟《しげき》に心がしびれて、友情のようにあわあわしい喜びには感応できなくなってしまう。とくに、男より女はその傾向が強い。

いったん、恋という美酒の味をおぼえたら、友情というような、ミカン水かラムネ、あるいはせいぜいがコカ・コーラといった清涼飲料水では酩酊《めいてい》できなくなるのである。

その証拠に、女性のグループ――クラス会、同窓会などをごらんになるがよい。恋人のあるもの、亭主子どものあるもの、みんなしたたか人生のアルコール中毒者であって、もう話題といえばマイホームのことばかり、マイ・ハズのことばかりである。友達なんか眼中にない。

〈気がやさしくて、その点はいいんだけど、あんまり出世しそうにないのよ、ウフフフ〉

〈ピアノを習わせてるので、このごろは何だかやかましくてもう……〉

〈でも出世できなくてもいいの、健康でまじめに、家庭を大事にさえしてくれたら……〉

〈あの子、わりに物おぼえがよくて、何ですか、たいそうスジがいいんですって。誰に似たのかしら、ホホ……〉

片や亭主のノロケ、片や子ども自慢であるが、お互い、会話がちぐはぐになって、相手の話もろくに聞いていない夢中ぶりである。そうして、さんざん自身の自慢話を、披露しあって、にんまりとほほえみつつ、

〈ああ今日は面白かった、やっぱり友達っていいものね〉

とお帰りになる。

友情の片鱗にふれた人でもこれであるから、友情の芽も育たぬうちに、その土地に恋

の花を咲かせてしまった若い人は、どうなるのだろう。私は、恋を知るより早く、友情のよさと有難みをぜひ知ってほしい、と思う。

それは心や頭を熱し、惑乱《わくらん》させる魅力とは違うけれども、また、つきぬ楽しみ、生きるよろこびを与えてくれるはずのものである。

私たちはふつう、学校時代の友人を長く持ちつづけるし、また、友人はそこでいちばんできやすい。何といっても同じ水準の、同じ年頃の人間が固まっているのだから、友人ができなければウソである。しかしできやすい所でできた友人は、また離れやすいのも事実である。

校門を出ると右左に別れて、二度と逢わぬ人も多く、顔を忘れ果てた人も多い。たまにあう機会があっても、さっきのクラス会のように、ただ、自慢や不平のうち明け場みたいな友情になってしまう。恋愛したり結婚したりすると、女には友情はかすんでしまう。

〈どうせ、結婚するまでの友達づき合いですもの〉

と割りきっている娘もいるが、あんまりそれでは、人間として寂しいことではあるまいか。

ここにA子という子があった。シャレではないが、ほんとに良え《え》子で、友達づき合いもよく、友情を大切にしていた。だんだん年頃になり、同窓の友が一人二人と結婚し、そのたびにA子は祝い品を贈りつづけた。とうとう、どういう運命のいたずらか、A子が最後に売れ残って適齢期もとうに過ぎてしまったのに、いまだに独身である。美人なのに、まことに気の毒で、当のA子もさぞ心外なのであろう。この間、逢うと、こんなことをいう。

〈あんなにお祝いをあげるんじゃ、なかったわ。みんな、結婚したらそれっきりで、まるで後ろ足で砂かけるみたい……、何ひとつ、葉書き一枚くれないのよ。どこへいったのか、消息《しょうそく》不明の友達までいるわよ。結婚したら、友人なんか、どうでもよくなんのね――ああバカらしい。このぶんじゃ、私の結婚するときは誰一人、何もお祝いくれないわよ。田辺センセ、忠告しとくけど、友人の結婚祝いなんて、するもんじゃありませんよ、あとになった人はまるで損だもの〉

ことわっておくがA子は私ではない。私はそんなしぶちんではない。私は、友人の代わりに私がお祝いをしてあげるから、といってA子をなだめた。

それからまた、B子は、これも未婚の娘であるが、既婚者の友人は持てぬ、とはっきりいっている。

〈だってそうでしょ。女って結婚するとしてないとでは、ひどく違うと思うのよ。うちの会社や、ほかの仲間たちを見たって、未婚者は未婚者同士、既婚者は既婚者同士で固

まってるわよ。話がてんで、合わないんですもの〉

女が結婚すると、従来の友人はほっぽり出して、自分の家庭に専念するのを、私は決して悪いとはいわぬ。女のそういう性質こそ、家庭を作り守る根源のエネルギーのようなものだから……。恋人や、家庭や、亭主や、子どもにうつつを抜かしてこそ、女は女であり得るのだから……。女であることの要素だから……。

しかし、もう、このへんで、高尚な人間感情である、友情について考えてもよくはないだろうか。

男性は、つねに、〈男の友情にくらべると女の友情は愚劣である〉と自惚《うぬぼ》れるが、うらやむほどのことはないけれども、ただ私は、男性は、結婚によって友情に変化をきたすことがないのだけは、いいなあ、と思う。

まあ、なかには結婚してから友人づきあいが悪くなって、夜はまっすぐ帰宅して友達のヒンシュクを買う、鼻つまみなのもいるが、それでも四十代、五十代の男性同士のつき合いを見ていると、女には、ああいう理解と共感を、何十年ももちつづける関係があるだろうか、とうらやましい。

話し相手は亭主と子どもだけ、という境遇に落ちてから、いそいで友人を探してもおそいので、若いうちから、友人を持つこと、よい友人に恵まれることを念じておくべきではなかろうか。

ペアの服を着たり、いっしょに便所へ連れ立ったりするだけでなく、自分の人間性とはだかになってぶつかり合える、自分を知ってもらい、相手を知りたくなる、いつもその人の意見を聞きたくなる人、何か思いついたら、まっさきに聞いてほしい人、そういう人を友人に持てたらどんなにいいだろう。

このごろは、家庭のミセスも、外出の機会が多く、いろいろ知り合いができて、友人をつくることも容易になった。友人は短時日《たんじじつ》に肝胆相照《かんたんあいて》らす仲にもなるが、ほんとは長い年月じっくりと時間をかけて育ててゆくことが大切である。

しかしよい友人、よい友情に恵まれるには、自分にその値打ちがなければならぬ。類は友を呼ぶ、で、いいかげんな人間にはいいかげんな友人しか集まってこない。よい友人に恵まれるには、自分が誠実で、その友情を育てようとする、熱意がなくてはならない。そうでないと、せっかくよい友人を得かけても、親しさに馴れて傷つけ、去らせてしまうこともある。

女性がいつまでも家庭にだけ夢中になっていて満足だというならば、友人はなくてもよい。――また、自慢やグチの捨て場のために友情が要《い》るのなら、そんな友情はどうでもよい。

だが夫や子どものとらえた自分と、ちがう自分を、把握してくれる、愛してくれる友人をもつことは、人生の喜びでなくて何であろう。

同性の友人ばかりに限らない。

男女の仲に友情が成立しない、なんて迷信である。

ただ、若いあいだは友情と恋を錯覚しやすく、友人として遇すれば最上の友だった人を、恋人になぞらえてしまったばかりに、友人と恋人と二人失うことになるケースもある。

C子はある男性と、たいへんウマが合うようなので、周囲が気をもんで、結婚したらどうです、とほのめかしたら、C子は困った顔をして、

〈どうもソノ気になられへんねん〉

といっていた。ソノ気とはドノ気かわからぬが、C子はたいそう正直な娘であるわけだ。異性の友人は周囲にも誤解をまねくことが多いが、できれば、見つけ出したいものである。

それは近頃はやりの、ボウリングやドライブに誘われたとき、軽口を叩き合うだけの間柄でなくて——またおたがい、ソノ気になるのではなくて、人間として認め合い、理解しあえる間柄、そんなのでありたい。

私は三十すぎて、よい友人をたくさん持った。

男性の友人にも女性の友人にも、それぞれよいところがあり、それぞれに有意義であ

り、彼ら彼女らと話すときは楽しい。そうして、彼ら彼女らは、たまたま結婚している、というだけで、それが友情の変化に一ト役買うことはない。

（『女が愛に生きるとき』一九七三年・講談社）

女の残酷さと優しさ

男と女は、どこが一番ちがうか?

女は気が小さくて、ケチでスケールが小さく、形式一点張りで融通がきかず、四角四面で応用問題はさっぱりこなせない、と男性はおっしゃる。

〈そうだ、そうだ。何ていっても男は小さなことに、コセコセしないからな〉

〈男は底力が違いますからな。学校の成績にしてからが、女の子はせいぜい中学まではいいが、上へいくにつれ、実力はぐうんと男子が女子をひき離します〉

〈女は規則ばっかりにとらわれて、大所高所からモノを見る肚《はら》ができてませんな。そこへいくと、男は肚がすわってます〉

〈そうだ、そうだ、肚芸、という言葉は男のモノだからな〉

〈太っぱら、というのも男の専売ですな。女性で放胆《ほうたん》なのはめったにありませんよ〉

〈そこですよ。それで女はくそマジメに几帳面《きちょうめん》になるんじゃないかな〉

〈しょせん、大事を語るウツワではありませんな〉

〈女さかしゅうして牛売りそこなう。女の政治家がいないはずですワ〉

しかし、そういい気になって女性をこきおろされるが、当の男性方《がた》はといえば、そんなに臨機応変に融通のきく、のみこみの早い、太っぱらな人ばかりであろうか。コセコセした堅物で、さっぱり要領の悪い男性もいれば、あまりに太っぱらすぎて、何もかもツーツーになりすぎ、汚職する役人もいる。大学の首席卒業が女子学生だとすると、落第する男子学生もいる。

ところで、この頃は女性でも放胆な大人物が居り、何百万円何千万円も会社の金を使いこむたおやめがあったりする。男も女も、現代では性別で論ずることは難しくなってしまった。優秀な女流政治家の輩出も、いまや世界の風潮である。男性と女性はデキが違うのだ、といわれても、女性のマイナスをいちがいにいい立てることはできない。女性の優秀性ならいえるけれども。

しかし私は、ひとつだけ、質が違うように思うことがある。

それは、残酷性である。

残酷といっても、猿の料理や、蛙の解剖を見て、〈キャーッ、残酷！　男って、ほんとに残酷ねッ〉とわれわれ女性が眉をしかめる、そういうのは幼稚な残酷《なんぴと》であって、ヒューマニティに照らして正々堂々と告発できる残酷であるから、何人も、こういう錦《にしき》の御旗《みはた》には対抗できない。ベトナム人の公開処刑を写真でみて、〈まあ、こんな残酷な……〉と憤慨するのも、至極けっこうである。

しかし、女の残酷は、そういう現れかたをしないから、……困る。女がほんとに残酷になると、男の残酷など物の数ではない。

女には奇妙につめたい、きびしいところがあって、それはどんな手弱女《たおやめ》でも、心の底にドライ・アイスの貯蔵所を持っているような気がする。もし私が今までに人から受けたあしらいの中で、ひやりとしたじゃけんな、冷たい言葉や態度を示されてひどくこたえたという記憶があるとすれば、それは次のどれかにあてはまる人々だったかもしれない。

つまり、学校の女先生とか、病院の看護婦さん、役所の女子事務員、女車掌、デパートの売り子さん……等々である。人によっては男のほうがずっと優しいな、と感じたこともあった気がする。

いったい、やさしさは女の武器と世間も思い、男も女にやさしさを要求するが、男より女がやさしい、ということが私には疑問である。

女のやさしさは、単に弱気であったり、媚《こび》であったり、無責任であったりすることが多くて、真の自立した精神から発せられる毅然《きぜん》としたやさしさでないことが多い。しかしその反対の残酷さは、これはもう、正真正銘のものである。

女の言葉がズバリと聞こえるのは、正直だからである。

〈あなたって、ダメねえ〉と女にいわれると、夫や恋人はぎくッとくる。あんまりホントのことをいわれると辛《つら》くて、何て残酷な女だろうと思う。ウソにも、何とかいいようがないものかと思う。しかし女性の美徳は律義で正直な点であるから、ウソがつけない。これが女の残酷を生む、第一の理由。

それから女はもってまわった考え方が好きなくせに、直観的に結論を断定する。

〈ぜったいダメよ、成功するはずないわ〉

〈なぜだ？　成功するかもわからんじゃないか〉

〈ダメよ、だってあなたのしたことで成功したこと、今まで一度だってなかったもの。こんどもダメよ、そんな予感がするわ〉

こういう時の女の予感はあとになって、ふしぎによく当たる。

〈ネ、ほら、あたしのいったとおりでしょう〉

男はよけい、むしゃくしゃする。

〈何て残酷なやつだ、もっといいほうの直観や予感を働かしてくれればいいのに……〉

〈だって、女の直観て、悪い方にしか働かないのよ。仕方ないわ〉

〈だったら、せめてそれを、しゃべるな！　自分の胸ひとつにおさめてろ〉

〈だって……〉

〈女は肚芸ができぬというのは、ここのことなんだ、第一、女子《おんなこ》ども、というだろう。女と子どもは同程度に幼稚なんだぞ。何でも無思慮にしゃべるから、こっちは気が腐るんだ〉

〈じゃ、どうすればいいのよ〉

〈人のいやがることはいうな〉

〈だって、いうなったって、ものいわぬは腹ふくるるわざ、っていうじゃないの。おナカにもってると、苦しくなるのよ。つまりそれだけ、女は男より無邪気なのよ、陰険でないのよ〉

〈何が無邪気だ、それは無思慮というもんだ。とにかく、女と話してると、男はいつも、意気沮喪《そそう》するよ〉

無邪気な無思慮が、女の残酷さを生む、第二の理由。

また、同性に対して残酷になる場合というと、関心がありすぎてライバル意識をかきたてられたり、反撥したりする場合よりも、無関心というのがある。

〈この柄とこの柄じゃ、どちらが私に似合うと思います?〉

年輩の婦人客に尋ねられて、デパート嬢は、

〈さア……好き好きですね〉

と冷淡な調子。

〈私はこっちの方が好きなんですが……〉

〈ええ、それもよく出てます〉

〈でも、すこし派手かと思って……無難なのはこっちじゃないでしょうか？〉

〈ええ、それも悪くありませんけど〉

と、取りつく島もない返事。どっちを買おうと儲けるのはデパートであり、すこし派手だろうと、気がひけるのは客なのだから、売り子嬢に関係ないようなものの、女の残酷をしみじみ思わせられる応対。

じつは私も、長年、商店に勤めたことがあり、空気のわるい所で体をヘトヘトにさせての対人関係が、いかに辛くて、人をつっけんどんにさせるか、知りぬいているから、決して、こういう時の売り子のお嬢さんを非難する気になれないのである。しかし、そんな時の私でも、眉目《びもく》さわやかな青年紳士の客が入ってくると、がぜん目はパッチリ、声音《こわね》はすずやか、態度はイソイソ、愛嬌《あいきょう》こぼれんばかりに、〈いらっしゃいませ〉とさえずるのであったから、きっとこのお嬢さんも、そうではあるまいか、と推察（邪推かもしれないが）するのである。

とすると、つまり、関心のあることや人に対しては、やさしく周到であるが、無関心なものには残酷であるというのが、女の残酷を生む第三の理由。

次に、女性が権威と結びついたとき。

女役人の凶暴な残酷さと、こわいものなしの威張りかたは、どうも困ったことである。だいたい、日本の官僚は評判悪く、お役人というものは公僕だということを、戦後はじめてわれわれは教えられて、なるほどこれは民主主義だと感心したくらいであるから、官尊民卑の思想は、日本ではたいへん根強い。一時は低姿勢に見えたお役人もこのごろはまた、鼻っ柱が強そうで、お役所の窓口にいる女性なども、強く雄々《おお》しき人が多く、公僕ならぬ公主といいたい女史も多いが、公主は、もともとプリンセスの意があるから、これはまちがいなく女性専用のものかもしれない。

〈何べんいったらわかるんですか、これは印鑑証明の判を押すんですよッ〉

〈いん……いん、何ですって?〉

〈印鑑証明、これがわからないんですかッ、隣の窓口でやってます、そこで聞いて下さい。ハイッ、次……〉

役所の窓口を偵察《ていさつ》するまでもなく、御用聞きの兄ちゃんたちをしかりとばしている(若ければ若いほど威勢がよい)奥さまも、恐ろしいもの。そばで聞いていても震えあがる。

〈こんなスジ肉が百円なのッ、あんまり出たらめしたら承知しないわよ! もっと勉強しないと、ヨソで買うわよ、肉屋は、何もあんたとこ一軒じゃないんだから〉

これも、笑いながらでもいえば角《かど》が立たないが、口角《こうかく》泡をとばして目を三角にしてどなられる。弱い立場を向こうにしてかさにかかるのは残酷。そういうのをトラの威を借るキツネという。

しかし、こう見てくると、女の残酷も、正直で無邪気で、自分本位の発想から、そうなってしまうので、つまりは弱い女の自己防衛の本能かもしれない。

（『女が愛に生きるとき』一九七三年・講談社）

男に甘える

私の好きなもの。

それは、静かな冬の午後、日がさしこむあかるい部屋で、ぼんやりとひとりいる。読む本はあるのだけれど、べつに読む気もしないからうち捨ててある。

レモンティーをひとりぶん淹《い》れて、その茶碗から湯気が立っている。

スペインみやげにもらった籠に、りんごが四つ五つ、これはむやみと大きいばかりで味がぼやけたような、高価でまずいりんごではなく、カチッと実のしまった小ぶりの、色艶《いろつや》はわるいが、とびきりおいしいりんご。

それらが卓上にあり、私はぼんやりと椅子にかけているか、ベッドで横になり、肘であたまを支えて考えごとをしている、なんて好きだ。

しかし、現実には、こういう清閑はほとんどない、といってよろしい。

かつ、私の住み処《か》は町医者の診察室の裏手で、身を横にすることもできぬ三畳の仕事場。本と原稿用紙が山積しているから、テーブルもベッドも、もしあれば、紙屑に埋もれてしまうであろう。

かつ、わが家には食い気《け》ざかりの少年少女がたむろしているのだ、りんごが籠の中に原形をとどめている時間は、ほんのわずかの間であろう。

だから、私の好きな光景、風趣というのは、想像であることが多い。強《し》いていうと、そういう空想をたのしむことが好きだ。

それから、いちじく、これも好き。

薔薇《ばら》の花とか、川のある風景とか。

花火。

人のうわさ。――あの人とあの人がこうなって、ああなって、そのときあの人は……らしいわよ、なんていう情報交換、これは死ぬまで好きだろうなあ。

ジェラール・フィリップなんていう、三十六で死んだフランスの男優。これ以上好きな人はもう、出ない。俳優ではいちばん好き。

本では、ラクロの『危険な関係』の中の、おそろしい奸智《かんち》にたけた、美貌のメルトイユ侯爵夫人。

お酒のむこと。

汽車の旅。

『百人一首』のうたを思い出すままにあげていくこと。これは、何年やっても、百首全部、おもい出すことはむつかしい。全部よく知ってる歌なのに、おもい出そうとすると、必ず、十首、二十首は雲がくれする。

そのほか、好きなものは、まだいっぱいあるのだ。ガラスの壺のコレクションとか、シルクデシンの服とか、貝殻のコレクションとか、便箋のコレクションとか、箸紙《はしがみ》、マッチ、いやもう、下らぬものを蒐《あつ》めることにかけては、人後におちない。みんな、好き。

その中で、何がいちばん好きかというと、やっぱり男に甘えることだ。佐藤愛子チャンにいうと烈火の如く怒るかもしれないけど。（尤《もつと》も愛子チャンは、この頃はもう、烈女、猛女の代表選手は、上坂冬子《かみさかふゆこ》サンにバトンタッチするといっていた。愛子チャンにいわせると、冬子さんという人は、「敵は幾万ありとても……」という、勇猛果敢《かかん》な人生観の持ち主だそうである）

女の最大の幸福というのは、幼くして親に甘え、結婚して夫に甘え、老いて子に甘えることだと、教える人があった。

もちろん、こんなことをいうのは、たいがい男である。

女がいうはずない。

女にしてみれば、こんなこと、たいへんな屈辱だと思う。かつ、人に甘えて一生を終わるとは何たる不甲斐ない人生であるかと、腹を立てる。べつに、烈女、猛女でなくても、またウーマンリブの闘士でなくても、〈そんなナマクラな人間になりたくない〉というであろう。

しかし、男、および男の域に近づいた老女から見ると、

〈女の一生は、結局、これが幸せなんですよ〉

というのは、傍観者だからいえるのである。

私も、若いころは、そういわれて怒っていた。あんまり甘える才能もなさそうだし、第一、甘えさせてくれる人も見付かりそうにない、私はそんなぐうたら人生を送らぬぞ、と心に決めていたのだ。

しかし、人間も、中年を過ぎると、体も保《も》たないことではあるし、甘えたり、おんぶしたりするのがたいへん好ましくなってくる。

おんぶにだっこ、だんだんエスカレートして図にのってゆく、なんていうのは、じつに楽しいことだ。

甘える才能というのは、女なら誰にもあるものだ。それを発見したのも、中年のおかげである。

ただ、「甘える」というコトバの解釈がむつかしい。

図々《ずうずう》しく相手のことも考えず、利己的だったり、厚顔無恥《こうがんむち》だったりしては、これは「甘える」中にははいらない。そういうのは、もてあまされるだけである。馴れ馴れし

く、内側へふみこんできて、何をしても当然みたいなのも、ちょっと、相手にしてみたら困るだろう。

甘えるには、節度も距離感も、要《い》るみたい。

しかし、そんなことを、しじゅう測っていて、甘えているのでは、甘えにならない。

ただ、相手のことを——親にせよ、夫（男）にせよ、子にせよ、愛していれば、自然に相手の立場をいつも考える、するとそれが甘えになってしまう。

甘えというのは、本来は、愛することと、同義語ではないのか。

ほんとうに愛していれば、甘えずにはいられない。相手の好意や愛を喜んで受け、それによりかからずにはいられない。

甘えるのは、相手の愛が信じられるからである。

それに馴れて無茶をいってはいけない。それは、こちらも、愛してれば、いうはずがない。

しかしときどき、無茶を通したくなるときもある。

そこらへんが、人間関係の面白いところである。そうして、相手が親だと、無茶は通るだろうし、子の場合も〈しょうがないなあ〉で通してくれるかもしれない。しかし、これが男相手だと、バランスがとれないで、突っぱねられるときがある。

甘えて、それが受け入れられて、〈よしよし〉といわれると、女というものは更に、あつかましくなりたくなるものである。

だいぶん、ツケ上がってるんだ、と自分でわかってても、ツイ、甘えて図に乗りたくなる。今にも怒らないかな、どうかな、などというヒヤヒヤの感覚なんて、じつに楽しいものである。

男というものはオンブオバケみたいなもので、一瞬にして、こわい顔になったりする。あるいは休火山みたいに、安心して山頂に腰おろしていると、〈グワッ!〉と噴火して、空中高く吹っとばされるときがある。

男はすべて、長いこと忍びがたきを忍び、耐えがたきを耐えていたのを、一挙に、爆発させることがある。

予測のつく男もあるが、全然、つかない男もある。

しかし男にしてみれば、これはちゃんと筋道だった論理があって、破裂したのだ、という。

女は〈そんなことわからないわよ、何を怒ってんのよ?〉と今更、びっくりしたりする。

そうして、〈甘えすぎたかなァー〉なんて反省する。

そういうかけひきは、じつに面白いもので、私は好きである。

それから、その爆発、噴火の一歩手前まで甘えてきて、泣き落としというのも、私は好きである。

しかし、女が泣いてみせて、それで落ちる男と、落ちない男がある。これも、面白い。泣いても動じないで、よけい怒ったり、腹立てたりする男と、泣かれると、

〈弱いなァ〉

としょげて機嫌をとってくれる男とある。

尤も、内幕をいうと、私の亭主などは、泣いたってよけい腹立てる部類の男である。私は佐藤愛子チャンに、〈どうしてかしらん?〉と聞いたら、

〈泣きかたが足らないいんじゃないの〉

といわれた。

つまり、もう落ちたか、どうかと思って、泣きながら指の股のあいだの水かきを拡げるようにして、相手の顔をのぞいているのなぞ、いけないというのだ。

ヨヨと泣かなければ、いけない。マジメにやらねばならない。

そうして無理を通して道理をひっこめ、「泣く女と地頭《じとう》には勝てぬ」と男を嘆息《たんそく》せしめねばならないそう。

こういうので面白いと思うのは、女が泣いて、泣き落とされていうままになる男、あんがいふだんは、コワモテの暴君タイプに多かったりすること。

反対に平生《へいぜい》はやさしくて、物わかりのいい男の方《かた》が、女が泣こうがわめこうが、にこ

にこして動じなかったりして、憎らしいねえ、これは。

いつも物しずかで、やさしいから、女も、甘えていられたのだが、こういう男、芯《しん》はあんがい堅くて、女の泣くのをじっとながめて、鼻紙やハンケチを渡し、ときに腕時計に目を落として、

〈あ、もうこんな時間！　ハラがすくはずや〉

なんていう。

煙草をとり出そうとしてライターをつけたが、あいにくカチカチやっても火が出ない、静かに身軽く立って、次の間《ま》からマッチなんぞ出して来て、ゆっくり煙草に火をつけ、ついでに週刊誌なんかパラパラめくる、そういうのが多いものである。

たいがいそこへ、〈新聞代！〉とか〈国民保険でーす〉などと集金に来たりして、男が立っていって気がるに払ったりしている。女は、泣きながら、〈新聞代、まだ払ってなかったかしら？〉なんて考えたりして、男が席に戻ってくると、あらためて声を張り上げてまた泣く。

まあ、こういう男には泣き落としは通じない。しかしながら、コワモテの男だと、ウロウロしてあたまなんか掻《か》いたりして、文句いったりしながら、無視できなくて、とってつけたように、おそるおそる顔をのぞきつつ、

〈どう、メシでも食いにいかへんか〉

などといったりする。

こうやって考えると、女に生まれて人生のたのしみというのは、男に甘えることに尽きるような気もされる。私がこういうと、そんなことを若い娘に教えては反教育的だというおじさんおばさんがきっと出てくるであろう。しかし、愛したり甘えたり、ということが好きでない女って、いるのだろうか? 自分の好きなものを人生で一つでも多く増やすことを、教えてやらないオトナって、何のために年をとっているのだ? 私はこれから、ワルイことばかり、女の子に教えていくつもりである。同じ生きるなら、女とはいいもんだ、と思わせるように教えるつもりである。

(『篭にりんご　テーブルにお茶…』一九七五年・主婦の友社)

女について

〈女らしい女〉

以前に、ある放送番組に「女らしさ」ということについての討論会があり、若い人が二十人ばかり集まった。私も、そのゲストとして出席させられた。その番組をご覧になった方《かた》もあるかも知れないけれど、その時の若い男性の発言は、私には意外なものであった。

〈女のひとは、やっぱりやさしくてよく気がつくことが大切だと思います。〝女らしい〟とはそういうことでしょう〉

〈僕は〝女らしさ〟というのは素直さだと思います〉

〈僕は母親のような人をつい、理想の〝女らしさ〟と考えるんです〉

甘えられる人、威張らない人、男女同権をふりまわさない人、……等々。

結局、一、二の例外を除いて、現代の若い男性も、〝女らしさ〟のイメージを「やさしい」「よく気がつく」「母性的な」「素直な」などという、古来からある女性の美徳に集中して求めているようだった。

ただ、面白いのは、昔とちがってさすがに、「女らしさ」と「女臭さ」の区別をつけていることである。いや、口に出して別々に認識はできなくても、何となく、肌で感じとって、作られた「女らしさ」である「女臭さ」を嫌っていた。

私がその昔、ＯＬであったとき、ちょっと重たい荷物を持つと、

〈いやアん……、だれか、持ってエ……〉

と鼻ったれ声で甘える若い女性があった。飛んでゆく男性もあったけれど、わざと知らん顔をしている、へそまがりの男性もあった。

それでも不親切なのではなく、黙々と仕事をしている女性には親切で、頼まなくても手助けしてくれる。つまり、女であることを強調して、女の「性」を最大限に利用するような感じの女臭さは不快なのであるらしい。そういう男性が、いまは多く居り、少なくとも形だけの「女らしさ」に反撥している、ということは、私には快《こころよ》い発見だった。

それから、もうひとつ面白かったのは、若い男性が、「女らしさ」にあこがれているのに反比例して、若い女性は形にしろ中身にしろ、「女らしさ」に反感をもっていたことだ。

〈男性の都合のよいことばかり、いっているんじゃないかしら〉

〈女らしさ、なんて女が守っていると、ソンばかりするわ〉

〈たいへん、女を見る眼が古い気がしますけど〉

等々、おそろしく不評である。

それなら女性側から見て「女らしさ」の定義が出るかというと、皆目《かいもく》、目立った発言はない。

つまり、昔は「女らしさ」「男らしさ」について、ちゃんとしたそれぞれの定義があった。そして、みんなその理想に到達するべくつとめ、はずれたら人も笑い自分も恥じるだけの、明確なお手本があった。ところが、今は「男らしさ」も「女らしさ」も混沌としている。とくに「女らしさ」とはどういうことか、よくわからぬ。五里霧中なのだ。

〈男のほうが男らしくなれば、自然に女も女らしくなるんだわ〉

などと、禅問答のような答えが出て来たあげく、一人の若い女性が、ハタとひざを打っていった。

〈つまり、女って愛する人ができると女らしくなるんじゃない？　やさしくもなり、気がついて素直で母性的で男性を大事にして……男の人に、きみ、こうしろよっていわれたら、ハイ、っていう返事が心から出るようになると思うわ〉

それも一面の真理である。しかし、それでは「女らしさ」は、男を愛した女にしか、身につかないものか？

いや、現実はそうでない。「女らしい」女、ある人の「女らしさ」、——そういうものを考えると、未婚の、恋人さえいない、それどころか、六十、七十の老婦人にさえ、何ともいえない「女らしさ」を感じさせられることはなかろうか。

たとえば、こんな歌がある雑誌の投稿歌にあった。（詠み人しらず。もし作者をご存じなら御教示下さい）

汗ばめる我を迎えて山荘の知性に明るき夫人の笑顔

決してうまい歌ではないが、情景はほうふつとする。ひどい山坂の道を喘《あえ》ぎつつのぼり、やっとある山荘へたどりついた作者を、

〈まあ、いらっしゃいませ。さぞ、お暑かったでしょう。さあ、どうぞこちらへ、どうぞ〉

と屈託なく明るい笑顔で出迎えてくれた山荘の夫人。疲れも汗もいっぺんに吹っとんでしまうような、夫人のいたわりと笑顔。たぶん、そんな応対ができるからには中年女性に違いない。そして彼女の笑顔には何ともいえぬ「女らしさ」があふれている……。そんな想像が、このぶこつな（たぶん、作者は男性であり、夫人に感動した）歌からうかがえないであろうか。

容貌の花はうつろい、香りは消えうせても、「女らしさ」という華やぎはいつまでも消えやらぬものである。

女らしさを守ることを、古いものだとか、女が一方的にソンをする、という意見もうなずけないものではない。昔の人は女らしさを、お稽古ごとを（お茶、お花などを）習ってゆくことで涵養《かんよう》しようとした。しかし、そこからは、何も女らしさに直接、役立つものはない。

また、女らしさは、女を制限づきで男に屈伏させてしまう。男の男らしさが、大胆であれ、勇敢であれ、率直であれ、強引であれ、すべて前向きの、積極的、能動的なものを称揚《しょうよう》しているのにくらべ、女の女らしさは、貞淑であれ、従順であれ、控え目であれ、細心であれ、柔媚《じゅうび》であれ、すべて内向性の、消極的、受動的なところにポイントが置かれるからだ。

〈女らしさってソンだわ〉

と若い女性がいう所以《ゆえん》であろう。

しかし、もういちど「女らしさ」の本質を考えてみよう。私たちの周囲に「女らしい」人、と思われるような人はきっと、二、三人いると思う。「女らしさ」の概念は人によって違うけれども、私に例をとれば、たとえばこんな友人がいるのである。

一人は共稼ぎの奥様で、とても有能な女性の事務家。それでいていつも化粧を怠らず、持ち物もこまめに取り替え、子どもがいないせいもあるが、服装の好みもゆき届いている。お世話やきで、いろんなサークルの責任者も兼ね、会計もきっちりしている。家では旦那様に優しい、いい奥様で、料理に堪能で、まったくいつそんなひまがあるのかと思うほど、果実酒を作ったり、ジャムをたいたり、佃煮《つくだに》を煮たりするのがうまい。しかも、話がよくわかって飲み込みも早く、相談相手にはとても頼れる人である。

いま一人は、出しゃばりで乱暴で淡白で、男みたいだけれど、話やしぐさが何となくおかしく可愛らしく、思わず微笑をさそうような婦人。平家ガニのようなご面相だけれど、もう何ともいえぬ魅力があって、彼女があっさりした応対の中にたまにチラとみせる女らしい反応が、たいへん好ましい。

たとえば、本を貸してあげると、カバーを掛けてきれいに読み、すぐ返すが、モミジのしおりをはさんでおいたりする。ハンカチを貸すと、洗ってアイロンをあてて返す。何かの返事、礼状はすばやくよこす。乱暴な、まずい字でたった二、三行ということもあるが、それでも必ず自筆で、葉書代十円の奮発を惜しまない。がらっぱちみたいに見えるくせに心遣いがこまかい人で、相手の気持ちをよく汲むのである。

いや、こうなると、私の「女らしさ」という意義はすべて冒頭の、男性たちの要望をなぞらえたようになってしまう。それは、女のくせに女らしくない私の、自分にないものを友人から求めようとしているせいかもしれないが、昔も今も、男も女も、「女らしい女」にあこがれているのは無理ない、と思う。

「永遠の女性」的なあこがれが、「女らしさ」の定義をさまざまに作り上げるのではあるまいか。

もはや末世《まつせ》である。現代の人間は、報酬を期待し、あるいは人の足を引きずりおろし、あるいは自己宣伝に汲々《きゆうきゆう》とし、あるいは露骨に求愛したりして、総じて浅ましくはしたなく、興ざめるほど、がつがつしている。そういう時に人間の救いを、女の優しさや女の心ゆたかな、ひろさ、温かさ、素直さに求めるのは、無理からぬことではあるまいか。人心がとげとげしくなればなるほど、夢やあこがれはふくらんでゆくのだろう。

時代とともに「女らしさ」のイメージは変わる。忍従や盲目的献身を「女らしさ」とは現代人は誰も思わない。しかし衣裳はともあれ、中身の「女らしさ」への夢は何年も変わっていないように見える。いたわり、心遣い、相手の気持ちを汲めるだけの心の余裕と訓練。それはつまり、女の愛、人を愛せる能力であろう。愛というと、若い女性は恋人や、未来の夫のことばかり考えるけれども、すべてを抱擁する、愛情である。こういうと、女子学生さんは、

〈ああ、ヒューマニティですね〉

などとおっしゃるから困る。誰がそんなムズカシイことを日常、実行しようと思うものか。ちょっとした心遣いだけで沢山であるが、もっともこれはいうはやすく行なうは

難《かた》く、つまり「女らしい女」の少ない所以である。

（『女が愛に生きるとき』一九七三年・講談社）

〈女の正直・不正直〉

たとえば、道にお金が落ちているとする。あなたは拾うだろう。

拾ってポッポへしまいこむか、トットと手柄顔して交番へかけこむか。

若い女性の反応はさまざまである。

〈イヤ、そら交番へもっていくわ。それでね、交番にハンサムな独身の警官がいてはるとするわ。それが縁になって知りあい、落とし物がとりもつ何とやら……、フフフ……〉

と手のつけようのない「楽天」型もあれば、

〈あたし、それは断然、交番へ届けるべきだと思います。デモ、あんまり小さいお金だったら……、エヘン、ムニャムニャ……〉

と、「あとはおぼろ」型もある。

〈断乎、一円たりといえどもとどけます。それが法律です。我々は法治国家に住んでいるのですから〉

という、「女ソクラテス」型。

〈そりゃ、届けますわ。落とし主が出なければいずれ貰えるし、出ても大金だったら一割はお礼がくるわよね。やましい気にもならずに、手に入るんですもの〉

という、「団地的合理主義」型。

〈お金？　……よろしやないの、もろといたら……。金は天下の回りものやわ〉

〈みつかったら犯罪ですよ〉

〈ほんなら、あ、届けよ思うて忘れてましてん……、この頃よう物忘れして……、いうといたらええわ〉

と、豪胆な「女傑」型もある。あるが、まあ、この手の女性は、若い人には少ないだろう。かつては女性であったというような年輩のご婦人に、多いのではあるまいか。

年輩の婦人は、だから不正直である、と私はいうのではない。弁護するのではないけれど、彼女らは長年生きて来て、人生のしくみを見飽《みあ》いたのである。社会のからくりは、どんなに万全に組み立てられてあるようでも、遺漏《いろう》があり、不公平があり、人間のすることだから不完全がある。

長い目でみれば、また大所高所《たいしょこうしょ》からみれば、少々の悪も善も平らにならされて、デコボコがなくなっていることを、彼女らは身にしみて知ったのである。

それは、正直の観念にマヒしているというのと本質的にすこしちがって、ずれているが、しかし結果的にみて、不正直とおなじことになる。

〈でもさ、中年のおばさま族って、やっぱりあたしきらいよ〉

と、若い娘さんで、いう人がある。

〈人生のしくみを知ってか、からくりを知ってか、知らないけど、第一、ウソをつくのが巧《うま》いでしょ。心にもないおせじをいったりね……。あれ、不正直よ〉

まさにそのとおり。

しかしそれは、また弁護になるけれども、人間、年をとると「人を傷つけること」の何たるかがわかってくるのである。

人は、刃物や天災や戦争によって傷つき死ぬのではない。それは物理的な生命の消滅、生物としての終焉《しゅうえん》にすぎない。

人は人によってのみ、傷つけられ殺される。

人の言葉。人の仕打ち。人の感情。

それだけが、人を活《い》かしもし、殺しもするのである。

若いころは何とも思わずに、「物理的に」正直な言葉をいい、感情をさらけ出す。ところが、真実の正直は、人間の感性の世界では比重がかわって真実にならないことがある。

ウソにみえるが、翻訳すると真実、真実ではないが、ウソでもない、いわば第二の真実実というような微妙なあいだで、ものをいい、行動することが、かえって、真の真実に近づくというような、ややこしいことも生まれてくるのである。

日本のようにこまやかな四季のうつりかわり、精巧な美しい自然風土にかこまれ、独特の伝統や文化を保って来た民族にしてはじめて、そういう精神文化が育ったのだろう。人を傷つけないように、と思う一面に、自分をも、いっそうよく思ってもらおうというPR精神やらで、若い人からみると、ウソにみえるような言葉を発するのであろう。

私は、そういう生活技術に、だんだん習熟していって、人間関係を円満にするのも、女の、人生における一つの役目だと思っている。

男性は、本来、性《せい》・劣悪なる者が多く、馬齢を重ねてなお、社交や対人関係にまずい人が多い。

そして、いい年をしてすぐ顔色に出してムッとしたり、朝から部下に当たり散らしたり、調子にのると浮かれ騒いだりして、若い人の軽蔑を買っている。

あるいはぶっきらぼうで、手持ちぶさたに、面壁《めんぺき》のダルマさんの如く、客を前にして一時間も苦悶して黙りこんでいる口下手《くちべた》もある。

そういう男どもの分も引きうけて、中年婦人は饒舌《じょうぜつ》やウソで人生をうまく動かしているのである。

歯車にコチョコチョと油をさしているのである。

いずれにしても、こういう対人関係の心理作戦のウソや不正直は、真実の正直に通ずるものである。こういう正直は、年を経ればおいおい習熟するとして、法律に触れる正直・不正直に於《お》いては、私は、若い女性は絶対に正直であってほしいと思う。

女ソクラテスの物理的観念的な、断固型の正直ではなく、若い女性らしい感性的な正直さで、

〈なんや、気色《きしょく》わるいやないの〉

という、肌になじまないものはいやだ、というふうな正直さを身につけてほしいと思う。

アメリカの統計によると、女性の犯罪は年々増加しているそうである。日本でもそのあとを追ってふえているのではあるまいか。

以前は女性で、「強盗殺人」というようなのは少なかった。殺人といえば、主婦の自殺のときに子どもを道連れというようなのが多かった。それが戦後は女性の凶悪犯がしり上がりに多くなっている。女性の犯罪というと、愛情にからんだものときまっていたのに、いまは純粋に物欲だけで「強盗殺人」というのも出て来たのだからすさまじい。

女チンピラが強盗を働く。夫を次々と替え、殺して、旅館を乗っとった恐ろしい中年

女。

夫と共謀してブローカーを何人も殺して金を奪っていたおかみ。はては、キャンプ場にあらわれて男たちといっしょにいやがらせしてあるく女愚連隊まで出る始末である。犯罪面でも女は男女同権になってしまった。

私は、女の犯罪者がふえるということは、その国の文化の頽廃《たいはいど》を示すと思う。女性の美しかるべき、情緒や感性が、すさまじく干からび果ててしまったことを示すと思う。たんに女犯罪者だけでなく、その国の女性一般に、その下地《したじ》ができ上がってしまわないかと心配する。

それはまたたくうちに、すべての国民、民族に伝播《でんぱ》する。

なぜかというと、女性は子どもを産み、育てるからである。子どもをとりまく最も身近な存在、つまり女性が、美しい感性をもつかもたないかということは、だから、一国の文化を衰微させたり興隆させたりするのである。それに、子どもはすぐ大人になる。

こうしてみてくると、女性は民族の文化の母胎であり、培養土である。

『11《イレブン》 PM』のドクターだった木崎国嘉《くによし》さんは、女はたいへん従順だといまさらのように感心していらっしゃる。

この薬をこういう風にして服《の》みなさい、と指示すると、ほとんどの女性がいわれたように従順にすること、男の比ではない、と。その理由を、

〈女は自主性がないから、服従しやすいんだよ〉

という男性もあるだろう。

〈女の正義感なんて箱庭みたいなもんだよ〉

という男性もいるにちがいない。

けれども、箱庭にしろ何にしろ、私は若い婦人には道徳的に正直で潔癖でりちぎで、人の世のおきてに素直に従順であることを、出発点としてほしいのである。

人のつくったおきてや法律は、人の幸福のためでありながら、社会がかわり歴史がうつると、必ずしも万全でありえない。不都合な、理に合わない点も出てくる。そのとき、私たちは感情とおきての間に立って悩む。その苦悩が土台となって、幸福のためにさらに新しいかたちに、おきては改められる。

けれども、おきてを重んじ、まちがったこと、人の道にもとることはしない、という信念がなければ、新しい進歩もおきても生まれるはずがない。それが出発点である。

女性のそういう従順さこそ、進歩を支える一つの柱である。

政治家の不正直も悪徳も、遠い国でつづけられている戦争も、女性が感性的に正直で真実である国でこそ、告発でき、弾劾《だんがい》できるのではないかしらと私は思うのである。

女性がウソ（道徳にもとるような）をつき、ずるくなり、強欲《ごうよく》になり、悪辣《あくらつ》になり、非道になったら、女性以上に質《たち》のわるい男性はどうなることであろう。可哀相ではありませんか。

女性はやはり小心でまっ正直で、りちぎで正義の味方の側に、原則として立っていてほしい。そしてそれを生む心は、理屈からではなく、愛であってほしい。

九州へ四、五日、私は旅をした。どんな田舎へいっても若い女性は美しく、やはり若い娘さんは人生の花であった。花の芯《しん》が虫食いでないように、素直で真っ正直であってほしい、と願わずにはいられない。

（『女が愛に生きるとき』一九七三年・講談社）

〈女のかわいげ〉

私は、かねてから人にいったり、書いたりしているのであるが、『忠臣蔵』の浅野のお殿さま（浅野長矩《ながのり》）の夫人、正確にいうと未亡人の瑤泉院《ようぜいいん》が好きである。じつに女らしい。

もっとも、それは講談本や映画の中のイメージで作られた瑤泉院であることをつけ加えねばならない。

瑤泉院は、ひとり寂しく亡夫の菩提《ぼだい》を弔い、心中、浅野の遺臣たちが、早く夫の仇《あだ》を討ってほしいと思っている。そこへ、久しぶりに大石クラノスケ氏がくる。クラノスケ氏は亡君の仏壇を拝み、而《しこう》してそのあと、のんきそうに〈ごぶさたしてまっけど、お元気でっか〉と主家《しゅか》の未亡人にあいさつする。未亡人としては、日々、恨みをのこして死んだ亡夫のことばかり考えており、仏になった夫との対話は、仇討ちに関することばかりだから、かっかとしている。女は、いったんこうと思い込んだら容易に、ほかのことは考えられない。あいさつどころでなく、昔の番頭の顔を見るが早いか、仇討ちはいつや、ときくのである。そんなこと、知りまへん、とクラノスケ氏がいう。瑤泉院は、かっとせずにいられない。のほほんとした顔をみると、よけい腹が立ち、犬侍《いぬざむらい》だの何だのと、ヒステリックに叫んでしまう。クラノスケ氏は困って、ほうほうのていで逃げていってしまう。瑤泉院はくやし泣きするのである。

この人は女のかわいげのある人である。私は、この際、とぼけて黙り通したクラノスケ氏も男の典型みたいで好きであるが、ここでヒステリックに叫びたてる瑤泉院も、女の典型みたいで好ましい。女というものは、こういうものでありたい。

敵方《てきがた》の間諜《かんちょう》がまぎれこんでいるかもしれない、などという思惑は何もなく、タダモウ、仇討ち一つにこりかたまり、人の心の裏を見ることも顔色を読むことも気がつかない。これが現代の女性であると、賢明に、クラノスケ氏の配慮を察して、垢《あか》ぬけた立ちまわり方をするであろう。その代わり、そういう目から鼻へぬけるような女は、いかにも中性的であって、男としては扱いに困るのではないかと思う。——現代の男性はじつに同情に値する。男でもない女でもないという、中性的な女性がふえ、それなら賢いかというとそうでもなく、バカかというとそうでもない、よくわからぬのが多い。今はせめて望ましいのはかわいげだけである。

（『続　言うたらなんやけど』一九七六年・筑摩書房、収載の「女らしさ」改題）

女と家庭

家庭をもつということは女にとって、どういうことでしょうか。

私は本来、女にとって、いちばん安定した居心地のいい場所だと思います。女は本能的に巣づくりが好きですし、動きまわるのがきらいです。

家庭のイメージを考えると、母港、母艦、城、巣、などです。要塞、防壁、安息所、つまり、にげこむ、休む、身をかくす、守られる、キズの手あてをする、雨風をしのいで避ける、火のそば、体を横たえる、安心して眠り、奪われる恐れなくモノを食べる、そんな原始的な巣、穴ぐらを連想します。

そうして、そこには必ず、女がいなければいけない。

女で、母で、妻で、とにかく、そういう気の安まる、あたたかいもの、やわらかいもの、うけとめてくれるもの、たよれるものがいないと、巣にならない。

しかもそれは、永久に不変のものでなくてはならない。

港の中が波立ってはたいへん、いつも変わっているのでは、気が安まらない。いつも同じやわらかさ、同じあたたかさ。それがあるからこそ家庭なのです。いうなら、愛と秩序が、家庭を支える大きな要素でしょう。

女は本来、孤独であってはならないと私は思います。

女は愛で充たされ、愛するものたちにとりまかれなければならない。両親、夫、子供、孫、甥《おい》、姪《めい》にいたるまで、愛し愛されるものにとりまかれて生涯を送らなければいけないと私は思っています。

女は、愛し愛されるように作られていると、私は思います。愛することが仕事であることは、いちばん、女にむいているのです。

そういう女が、家庭を作ることぐらい、女自身にとっても、周囲の家族にとっても、幸せなことはないでしょう。

愛のあるとき、家庭の中の雑事は、創造的生活となります。

どんなに小さな、わずらわしい仕事、同じことのくり返しでも、毎日が昨日とはちがう感じになるのではないでしょうか。

わが家の娘たちに、私はよくいうのですが（もう中学生になっています）、「気の合う」男のひとと結婚して家庭をもつ、ということはとても、たのしいことだ、と。

夫が大好きで、子供が可愛くてたまらない、そんな奥さんがつくる家庭は、どんなにすてきか、ということを。

私は娘たちにぜひ職業をもって自立してほしい、と願っています。女の諸問題は、自立能力のあるなしで、ずいぶんちがってくることが多いからです。

何が悲惨だといって、自立の能力がないため、不本意な生活を泣く泣く送っている女ほど、悲惨なものはありません。自活できる女に育てることは、親の義務です。

それと共に、私はぜひ、娘たちに「愛すること」のたのしさ、愛する者たちとつくる「家庭」のたのしさを知ってほしいと思うものです。

〈毎日のお献立て、家の中を好きなように、思いのままに飾ること、計画をたてたり夢をもったりできること、家庭が自分の思うままの色に染められたり、形づくられていったりする、それはたいへんなたのしみよ〉

と私はいってやります。女の権力が最大限に発揮できるのは、家庭の中ですから、これはたいへんな幸運ではないでしょうか。

でも、それもこれも、「愛すること」の能力があってこそ、です。

それがなくて家庭を作っても、形骸《けいがい》だけの家庭です。

私の感覚では、女のひとというものは、内側はいつも温かくてとろッとしていて、溶けそうに甘く、香ばしくて、やさしい、チョコレートのような部分があってほしい。どんなにきびしい職業をもっている人でも、どんな逆境に生きている人でも、チョコレートみたいな部分をもっていてほしいのです。それは、「愛することのできる」部分です。そういう人が家庭をつくるべきだと思います。

しかしこれからの女性は、きっと仕事を生き甲斐にする、という人がふえるでしょう。ただ、その場合も、もし、愛する人にめぐりあったら、その「甘い、やわらかい部分」をたいせつにして、そちらの人生でも生きてほしいのです。

女たちが仕事に生きるか、女の人生で生きるかは、長いあいだの女性史の命題でした。現在でもそれはまだ解決されていませんし、仕事が好きで、仕事に打ち込みたいと思っている女性でも、結婚と同時に職場を追われたり、みずから退《しりぞ》いていったりしています。それは、今まで家庭のかたちが融通のきかない、頑固できまりきったものだと思われていたからです。

しかし、これからの家庭のかたちはずっと自由に、一つ一つちがった、個性的なものになるでしょう。

別居結婚もその一つのタイプでしょうし、私たちがしたような、日曜結婚みたいなのもできるでしょう。

中学生になった娘たちに、小さいころのことをおぼえているかしらと聞いたら、〈山手《やまて》の家の窓からみえた海。スケッチにいったこと。ヒマワリのタネを植えたこと〉など、かなりよくおぼえていました。その異人館で過ごした日曜は、彼女たちの幼時の思い出の、かなり大きな部分を占めているようでした。

家庭を、その特殊な事情にあわせて、ちがったふうに作ってゆくことができれば、女たちは、自分の仕事と、自分の愛の部分を、両立させることができます。

もちろん、それには男の協力というか、理解が要《い》るので、そのカギは男が握っているのですが、もしできなければ、仕事と生活を半分ずつにふりわけて充たすべきです。

どちらかをとる、というような追いつめられた状況では、たとえとったほうを充たしても、たえず何か欲求不満がありますし、完璧主義というのは、ことに女の心を狭量《きょうりょう》にしてしまいます。

〈仕事もし、家庭ももつというのは、中途半端でよくない〉

と今まではいわれましたし、女たちもそう信じてきました。しかし中途半端でも悪くはないと思われます。

人生で徹底して追求して、それがきわめられたものがあるでしょうか。人生のすべては、中途半端までしか追いつけません。すべてを完全にやり通すというのは、神の領分です。

私はぜひ、これからの若い女のひとに、仕事をもつと同時に、「家庭」をもってほしいと望みます。

一人ずまいでは家庭とはよべません。

すべての若い女性が、愛するものとめぐりあい、家庭をつくるたのしみを知ってほしい。これは、女の本質、本能に、もっとも合っている幸福のかたちですから。

ただ、注意してほしいのは、「家庭」のたのしさを若い女性に教訓するオトナの中に、

（女は家庭にかえるべきだ、家庭生活こそ女の天職なのだ）

という考えをもっている人が多いことです。

女は家庭づくりを好みますが、これからはより以上に、仕事に愛着をもつ女性が出るかもしれない。

それから、家庭を作りたくても、愛するものとめぐりあうチャンスがないままに、年を経《へ》てしまう女性があるかもしれない。

それもこれも、一つの人生、一つの個性なのですから、強《し》いてある型に押しこめ、天職だときめつけてしまってはいけないのです。

家庭は、つくることがたのしいから、そうするのです。結婚も、愛も、たまたま、それにめぐりあう運命に恵まれたから、それに従うまでです。

愛してもいないのに、ともかく世間なみに家庭をつくらなければ、というので結婚して型の如く家庭をととのえる、やがてその家庭が変質してくるのは、当然でしょう。

「家庭の幸福は諸悪の本《もと》」と、太宰治はいいました。彼は、家庭が、あまりに外の不幸や雨風を排除するのに夢中になって、排他的となり、エゴイスティックになり、孤立し、

頑迷《がんめい》になるのを憎んだのでした。

母港であり巣である、あたたかなところ、安らかなところのイメージをもつ家庭は、それゆえにまた、他者にとっては、近寄りがたい保守的な、孤立した城塞にみえます。家族以外の何ものも、近よるものは外敵と見なされそうな、偏屈な、意地悪さを感じます。

そういう閉鎖的な家庭にしないでおくには、やっぱり女のひとのデザインひとつです。家庭は、女が要《かなめ》に居るもので、この女性の考え、感覚《センス》、好みひとつで、どんなふうにもかわります。

それを思うと、家庭づくり、というのは、じつにクリエイティブな「女の仕事」ではありませんか。

物静かな家庭、開放的でにぎやか好きの家庭、さまざまな家庭の気質、体質、それらをつくる要素はみな、女性にあるのです。家庭を自分流に作ることに、若い女性は、期待と夢と、たのしみをもってほしいと思います。

それから、家庭の基礎は、父、母、子供というメンバーではなくて、ただ、男と女の愛情であること。夫と妻というよりも、男と女として、愛し合うものであってほしい。

家庭ももち、仕事ももちたい、という女性は、できるだけ、貪欲《どんよく》に、二兎《にと》を追ってほしいのです。

そのためには、自分だけの家庭のかたちを考え出したらよろしい。これでなければいけないという形はありません。

また、家庭の中をこまごまとさわり、かざりたて、つくろうのが好きだという人もあれば、家庭をつくるより仕事に生き甲斐をもつという人もあるでしょう。

互いにそれを強いないことです。

私は、人間のすることに、そう大きな差があるはずはない、と思います。

ですから、自分の得手《えて》である部分をただただ拡大して、それを理屈づけて他を強いるのは、いけないことです。「女は家庭経営が天職だ」という女は、自分が家の中にひっこんでいたいからそれを正当づけているにすぎません。「女も外で働いて自立すべきだ」と主張する女は、自分が働くのが好きだからでしょう。家庭作りは女たちの本能といっても、女たちの個性は、千差万別です。

それぞれ、好きなように、あるいは相手の男性の性格に合わせて生きなければしかたありません。

ただ、人生の先輩の年齢に達した私の、心からなるアドバイスとしては、女と生まれたことは、人を愛し人に愛されるためのすばらしい幸運、少なくとも女の生涯の仕事のうち半分は、愛することが仕事だということです。

そうして、愛するものを得た場合、家庭を作ることは何というたのしい夢であるかということです。女に生まれて、よかったと思うほどの幸せ以上の幸せは、ほかにないのです。

（『続　言うたらなんやけど』一九七六年・筑摩書房）

人、サムライたらんと欲《ほっ》せば

私は、男も女も、大丈夫《だいじょうふ》、つまりサムライたるべきこと、とかたく信じている。

サムライは、義のために死なねばならぬ。

サムライは、カゲ日向《ひなた》あってはならぬ。

サムライは、小人《しょうじん》にとりあってはならぬ。

サムライは、真心で以《もっ》て人に接しなければならぬ。

サムライは、卑怯《ひきょう》未練なことがあってはならぬ。

サムライは、私欲をむさぼらず、金銭に淡泊でなければならぬ。

しかし、こういうふうにやると、サムライはたいそう生きにくい。

かつ、ソンな存在である。

自分は義のために死に、小人は不義にして富み、かつ栄えるであろう。自分は卑怯未練なことをしないのに、小人は悪辣陋劣《あくらつろうれつ》にたちまわって、自分をおとしいれるであろう。

自分は金銭に淡泊に清貧《せいひん》に甘んじているのに、小人は、私腹をこやして巨富を積むであろう。

そういう目にあって、なおかつ、

〈なあに、身共《みども》はサムライじゃ。腹はへっても、ひもじゅうない〉

といえるかどうか、自身、小人の要素をいっぱいもっている私としては、たいそう心もとないわけである。

しかし、心もとなくても、人は、男も女もサムライでなければならぬ、と私はかたく信じている。

ちょうど、どんな小説でも、文学の本質的なもの（それは、作者の夢、とでもいったものである）を見失っては、いかに面白くてもたんなる娯楽よみものにすぎないように。私は、お人形さんや熊ちゃんのヌイグルミをいっぱいもっているが、そういうものと、サムライと相容《あいい》れない、というものでもない。それとサムライとは別である。

オカマにも、だから、サムライ的な人間はいるわけである。金銭至上の世間の風潮の中で、惚《ほ》れたらとことんつくす、金が目あてで惚れたんちゃう、という人がおれば、それはオカマだろうが風俗嬢だろうが、サムライなのだ！

反対に、どんな立派な学歴、身分、地位をもち、世間から尊敬される市民でも、ワイロをとって国事を私《わたくし》し、カゲ日向のある奴《やつ》は、小人であるのだ。一見サムライ風、うらへまわると小人小物《こもの》、政治家だけではない、一般市民にも、そういう男や女は、たくさん、いるのだ。才子佳人《かじん》でも、腹を探りゃ、権力・富がほしいだけ、というのが多い。そんな中で、自分だけでも、サムライであらねばならぬ。

しかしこの、サムライとして身持ちを正す、というのは、金銭や思想、行動哲学に照らし合わせるときは、明快にわりきって考えられるが、男女の仲を考えるときは、むつかしい。

色の道では、サムライか、小物か、君子《くんし》か、小人か、でわけられない。

理屈で通らないことが多い。

夫が心変わりして、よそに愛人を作っても、何しろサムライは卑怯未練であってはならぬ。

〈あ、そう〉

と別れてあげないといけなくなる。金銭に淡泊であらねばならぬのだから、慰藉料もらうのもサムライの道にはずれる。悪妻の何のと雑言《ぞうごん》されても、小人にとりあってはならぬのだから、捨てておくしかない。

いや、サムライというのは、昔も今も、生きにくいのだ。

しかし、それが私の夢なのだ。私の考える人間の美しさであるのだ。そうして、愛のために生き、愛のために死ぬ人は、サムライが義のために生き、義のために死ぬのと同じで、愛と義とは、人間にとって同義語であるのだ。

私がいつも、愛の小説を書くゆえんであります。人、サムライたらんと欲せば、いかなる目にあうか、という小説を書いてるのであります。

（『ラーメン煮えたもご存じない』一九七七年・新潮社）

女の定説

時々、私も色紙《しきし》を頼まれることがあるのだが、これがいやで、苦しまぎれに、

「気ばらんと
　まあ　ぼちぼちに
　　いきまひょか」

と書いたりする。大阪弁ででき上がった川柳まがいのものであるが（「気ばらんと」というのは、「気ばらないで」というような意味の大阪弁である）、この、「ぼちぼち」にいく、というのが大阪人は好きで、「どうぞこうぞ」とか「そこそこ」とか、このたぐいの言葉はいっぱいある。道ばたで旧知に逢い、

〈オイ、どないや、元気でやっとるか〉

と聞かれて、

〈ま、どうぞこうぞ、やってま〉

などという。どうなりこうなり、という意味。儲かってるか、といわれた時は、
〈そこそこ、でンなあ〉
とか、
〈ぼちぼち、ですワ〉
というのである。（尤《もっと》もこの場合の〈ぼちぼち〉はかなり、儲かっているという感触。〈そこそこ〉だと、いい線いってるニュアンスがある。ボーダーラインすれすれは、〈あきまへんなあ……〉と長い嘆息《たんそく》となり、全然赤字、というときは口調も切迫し、短く、断固として〈あきまへん！〉というのであるが、これが決然として発音するから、〈アキマエ！〉と聞こえる）

私のぼちぼちは、儲けに関係なく、「バランス良《よ》う世渡りしよか」とか、「自分の甲羅に似せた穴、掘ろか」とか、「そう言いつつも、まあ何とかアタックしてみよか」という意味もあるし、「いやいや、手ェ拡げんでもエエ……」とビビる気分も含まれ、そういうあたりの気分を包含《ほうがん》して〈ぼちぼち〉というている。つまり一種の処世方針のようなものであるが、勿論、本気にこんなことを私が考えているわけではないのであって、色紙を出された苦しまぎれに書いたら、巧《うま》く、五七五になったというだけの話。私自身はその時任せで生きている。

しかし、自分の書いた言葉に、いつか自分で暗示を受けてしまうということは、ある

ものである。

何となく、私も「ぼちぼち派」であろうとし、あるような気にもなり、それで、『ぼちぼち草子』というタイトルを思いついたわけである。

ところで、こと女性に関する一般問題でいうと、「ぼちぼち」でやっていたら遅れをとってしまう。女性をめぐる現象の変化流動のはげしさは物凄い。私は昭和三年の生まれなので、半世紀にわたる「女」のありかたの転変をつぶさに見ることができて、これは何という面白い時代に生まれ合わせたのであろうか、と悦に入っている次第であるが。

まず目ざましいのは世のかなりの名論卓説、女性に関する部分から古くなっていく、という発見である。皮肉警句諷刺《ふうし》も女性に関しては、ピント外れが多くなってきた。女性の貌《かお》が捉えにくくなってきたからであろう。

三島由紀夫は、あらゆる文章は形容詞から古くなってゆく、といったが、しかしまだ、三島サンの形容詞は斬新で、腐臭をたてていない。川柳の川上三太郎は「ような川柳」の大家《たいか》であった。三太郎の形容詞は今なお古びぬ才気が溌剌《はつらつ》としている。

女の子タオルを絞るやうに拗《す》ね
基督《キリスト》のやうな顔して鰻《うなぎ》ゐる
アイロンのやうに鴛鴦《をしどり》向きを変へ

などは五十年後の今でも笑わされる。感性的な形容詞というのは意外に生命力のあるものである。それに、たとえば「お盆のような月が出た」という形容も、使い方によってはそれなりに活《い》かせるような時代になっていて、筆者の包丁さばき一つにかかっているという、文章に関しては寛容で可能性の多い時代になった。

しかし「女性の周辺」というのは、これはもう何としょうか、ごまかしようがない。過去何世紀もの、女性に関する認識や考察、通説、定説が引ッくり返ってしまった。片端から定説が古びてゆくのだから、定説に倚《よ》りかかって女を論じられない世の中になってしまった。女の部分から、文章や思考が古びてゆくというのは、ここをいうのである。

その定説、というのは、まあさまざまあるが、たとえば、「女に友情はない」ということに、今まではなっていた。女の足を引っぱるのは女だ、といわれつづけ、女もそうかなあ、と思ってしまう。

しかし現代ではもはや、そう思っている若い女は少ない。

人気歌手でもあり作曲家でもあるユーミンこと、松任谷由実《まつとうやゆみ》サン、この人は雰囲気のある美人で、しかも才女でユーミン語録が面白いところから、女性雑誌の花形のような人であるが、「MORE」一九八五年十月号で、こんなことをいっている。このユーミン、時に生意気に聞こえる不逞《ふてい》な言辞《げんじ》を弄することもあるが、それも含め、現代女性の代弁をしている部分もあって、そこがまことにキビキビと小気味よい、といったひと。

「〈女同士の結びつきのほうが強いの。フェミニストなのね。男はね、あっいいなと思ってもすぐ飽《あ》きるの。飽きさせないパワーで、この私に匹敵する人はいないんです。イヤー、女子高生活が深いカゲを落としていますね。なんかこう女同士でいる楽しさを知っちゃってて。で、男がひとりでもそこに入ると役がついちゃう。女性のほうに。たとえば女友達で自然とワーッと集《つど》ってるときに、私のダンナが現れると、ま、私は妻になってほかの女性は妻の友人A・Bになっちゃう。そうすると面白くないのよね〉」

ユーミンには仲のいい旦那様がいて、「〈今でもダンナに三日くらい恋愛するときってありますよ〉」というひとである。それでいて、

「〈女同士の結びつきのほうが強いの〉」

と醒《さ》めた発言をする。これは女と女で共同して一つのことをなしとげるという機会が、多くなったことによって、女の友情が育ちつつあることを思わせる。

女たちは仕事の面白さを知り、それによって「女の友情」の面白さを知ったのである。そうなると、別に仕事を共にしないでも、女と女の間に友情が成り立つときもある。「おぬし、やるな」と女が女を評価し、みとめて友情は生まれる。ユーミンの発言は、彼女だけがトビ抜けて先端を切っているのではなくて、たぶん老若数多い現代女性の考え方を、広い裾野にしていると思われる。

宝塚歌劇というのを男性が取材すると、女の園の隠微《いんび》な争いとか、男役にまつわる倒錯《とうさく》趣味とか、そちらの「定説」に落ちこみやすいが、女たちばかりで一つの舞台を創造するとき、「おぬし、やるな」という評価と信頼が互いになければ、とても三千人の観衆を満足させる舞台は創れない。トップ・スターは八十人の共演者を首肯《しゅこう》させられるだけの実力を持たないと、一ときでもその地位にとどまれない。あの宝塚の舞台は華麗なだけではなく、「女の仕事の面白さ」に首までどっぷり浸かった「女同士の結びつき」の楽しさを知った成果なのである。

彼女らがオフのとき、絶えず舞台について侃々諤々《かんかんがくがく》の議論をたたかわせていることなど、男性取材者は伝えもしない。演出者をまじえない場合でも、彼女らはおのおのそのキャリアによって、語るべきものをいっぱい持っているから、あの場面はこうすべき、この歌はこうあるべきと、議論しつくして倦《う》まない。夜を徹して議論を闘わせる。私はそれを瞥見《べっけん》して、

(まるで二・二六事件前夜の青年将校らみたいやなあ)

と思ったことがあるが、そんな情熱で舞台を創造するそのさまは、ユーミンのいう、

「〈なんかこう女同士でいる楽しさを知っちゃってて〉」

ということであろう。

ユーミンにしろ、宝塚の生徒にしろ、広く芸能界の女性も、一般の女性も、仕事を持

つ女は、子供を持つ持たないの選択を自由にするようになった。これも、男たちの「定説」によれば、

「女は子供を産みたがるハズ、子供を持つことを望むハズ」

であるが、一概にそうともいえない、実に多様な新種女族が次々に生まれている。前記のユーミンは三十一だというが、いまのところまだ子供を持っていない。

「〈子種入る前に、スケジュール入っちゃうんです〉」

と警抜《けいばつ》なジョークを飛ばして、ファンを楽しませている。

子供にまつわる女の「定説」には、女は生まれながらに母性愛を持つということになっているが、それも疑わしい。もはや磁石は狂いっぱなしである。小さい子供一人に留守をさせて家を空け、子供を飢え死にさせてしまった母親。スキーに行くために邪魔になった幼児を、福祉施設の門前に無断で放置して（本人はあずけたつもりらしい）、遊びに行った母親。昔ニンゲンの男たちには、「――想像もできない」女たちが続々と生まれている。これは女たちが突然変異で生まれたのではなく、昔からこうだったのかもしれない。

何百年か何千年かの「定説」の箍《たが》にはめられて、それらしい女に作られていただけで、かなりの数、産みっぱなし、子供ぎらい、という女がいたのではないかと思われる。（勿論、本能のままに子供をいつくしむ、定説通りの女も多いが）

定説、というより俗説、通説による女の定義は、これはもう、めためたと崩れていっている。

女は、自分を裏切った男よりも、相手の女のほうを憎む、といわれたが、現今の女が直接憎悪するのは不実な男のほうなのだ。幽霊になって祟《たた》るとすれば、即《そく》、男にとりつくのであって、ライバルの女はついでに祟るという具合である。

はじめての男を、女は忘れないというのも、男の好む神話であるが、これがまた、あやふやなこと限りなく、それでも若い女の子は歴史が浅いからまだおぼえているかもしれないが、歴戦幾山河という女たちになると、

〈ちょっと待ってよ、アレとアレと、どっちが先だったっけ〉

などということになり、特別な感慨はないのである。男にはまことに気の毒だが、女たちが、

〈ぶっちゃけた話、ここだけのことだけど——〉

というのを聞くと、忙しい年代の時期は、ちょっとしたメイク・ラブさえ、仕事に埋没して完全に忘れることがある、と。

どうかした拍子にフト思い出して、

（あっ、そうそう、そんなことあったっけ）

と思ったりする。最近の出来事でさえ、そうであるから茫々《ぼうぼう》何十年昔のことなんか、

〈忙しくって〉

おぼえてらんない、という。

いや、女も忙しくなった。仕事を持っている女は、男に目の前をのそのそしていられると、つい、いらいらして、

〈そこ、どいてよッ！〉

とどなってしまうのである。

「待つ」のが女の本性だというのが「定説」であった。待ってる女というイメージはかなり根強く、演歌の「女」はたいてい、男を待つのである。

しかし同じ待ちかたでも、現今はちょっと「定説」からずれてきている。

桃井かおりサンという女優さんがいる。

彼女も往々、卓抜な意見をもっていて「かおり語録」などといわれる人であるが、たとえば好きな男がやってくるのを待つとき、彼の好物・ビーフシチューならシチューを、いったん作るけれども、あなたのためにこれを作ったのと誇示するのは、ベタベタして、

「〈私はきらい。――私なら鍋ごと冷蔵庫へ入れちゃう〉」

せっかく作ったのを鍋ごとしまいこみ、男が来ると無造作に、「〈食べるんなら、冷蔵庫にあるよ。残りものだけど〉」と煙草の煙を吐きつつ顎をしゃくって言い、立とうともしないのがいいという。

これはかなり現代女性の共感と支持を獲得する対応であって、男に「待たれていた」という負担を与えないたたずまいである。

男が考えている従来の女の「定説」には、男は倚りかかって待つ女を負担にも思うが、また、そのことが男の生き甲斐の一つでもある、というのがあった。

しかし今や女は、男の負担にならない生き方を採る。男は新たなる生き甲斐を探さねばならなくなった。

「女の定説」が片端から崩れていった、というか、或いは、本然の地《じ》が出てきた原因の一つは、女が社会に出て働くようになったことのほかに、私は、男女同数になった、ということが、女性を変貌させたのではないかと思っている。

戦後生まれの男と女、ほぼ同数、というのは、これは女性史上、画期的なことではないか。現代はまあ、男の数が実に多い。老若肥痩《ひそう》とりどりにわんさか、いる。

私のように戦中、それから敗戦直後、男が地上から払底《ふってい》してしまった社会状況を見知った人間には、現代のように、男が女と同じくらいいるようよいるというのは、一つの驚異である。

戦時中はそれこそ、町なかで男というのは少年か老人しかいなかった。中年も青年も、五体揃った男は挙げて戦地へ送られていた。女の数が多い世の中では、女は萎縮《いしゅく》したり、猫をかぶったりする。

戦後の男女共学（性差主義に毒されないのは、教育の機会均等という点だけである）と、男女同数、というのが女性を解き放った。結婚するにもパートナーを選ぶにも、女には無限のチャンスが与えられる。それを知った女たちは萎縮しなくなり、猫をかぶらなくなった。価値観は無限だし、男たちはたっぷり用意されている。Aを捨ててもBもCもあると思うと、気分は昂揚《こうよう》しないではいられない……。

かくて、とめどなく「女の定説」は崩壊し流動して古くなっていく。

男性たちが政治経済文化を論じている分には、どうといって目立たないのだが、女性論を扱うと、とたんにガタッという感じで古くなり、浮き上がり、見当はずれになる、あれは興ふかい現象である。男性たちの発言や発想が、女に関する部分から古くなるという所以《ゆえん》である。

（『ぼちぼち草子』一九八八年・岩波書店。初出は「世界」一九八五年十二月号）

オジサンとオバサンの違い

このごろ、〈ウチのオバハンの考えてることわかりまへんな〉という、中高年男性の嘆きを聞いたりする。そうかと思うと、オバサンたちは、〈主人とドンドン考えが離れていく〉と呆《あき》れている。

オジサンとオバサンの違いを示すとこうなる。

オジサンはフル・ムーン旅行へ行ってもよい、と考えている。古妻を喜ばせるのにやぶさかではない、と思う。

しかしオバサンは阿呆らしくていやだと思う。

なぜか？

キップの手配、宿の手配、行き先のコースから宿の選定の手間に至るまで、みな、オバサンがしなくてはならない。これが面倒な上、いざ行ってみたら宿がどうの、料理がどうの、とオジサンはごねる。しかも旅の荷造り、支払いのさまざま、これもみなオバ

サンの手数をかける。たとえ金はオジサンから出ているにしろ、

〈シャツとパンツ出してくれ〉

〈靴下かえろ。もう替えがない？　洗ってくれ〉

などと、家にいるのと同じことをさせられたのでは、なにが嬉しかろうというのだ。

海外旅行なら、旅行社がみなやってくれるから楽かというと、そうではなく、大きいトランクの荷造り、土産物の選定、通貨の変動による計算、ややこしいのがいっぱいあって、しかも言葉が分からないから夫婦げんかになっても別行動もとれない、家庭内離婚ではないが、旅行中離婚ということになり、よけい爆発寸前になるという。

オジサンはオバサンを喜ばそうと思って、フル・ムーン旅行を考えるのだが、オバサンは家にいる時と同じようにこき使われる位ならば、気心の知れた友達数人と旅行するほうがずっとマシ、と思う。

オジサンは別荘が欲しい、と夢見るが、オバサンは別荘でまたオサンドンかと思うといやになって、それより、リゾート・ホテルに泊まるほうがずっといい、と思う。

オジサンは司馬遼太郎を読み、オバサンは渡辺淳一を読む、というのも私の発見である。

オジサンはダイエットの必要があると思うと、ジョギングでもしようか、と思うが、オバサンは、手術で下腹の贅肉《ぜいにく》がとれるというニュースを熱心に読む。

オジサンは煙草をやめはじめる人が多い。

オバサンは吸いはじめる人が多い、というのも私の観察である。

オジサンはお酒の量がへりはじめる。

オバサンは飲みはじめる。

これを要するに、人生戦線の縮小にかかりはじめた人と、拡大をもくろむ人の差、といってもよい。

オジサンはすべきことはしつくし、といってなおまだ浮き世の義理があるので（ローンの返済など）隠遁《いんとん》もできない。健康上のおもんぱかりもあり、戦線をじりじり後退して、最後のトリデを縮小し、そこへたてこもろうというところ。

オバサンは今まで亭主子供のために捧げてきた人生をこれからはわがために蕩尽《とうじん》しようってんで、今までしなかったこと、できなかったことにトライしようやないの、と思う。

カラオケ・スナックへいく、酒を飲む、煙草を吸う、まあ一種、そのかみの明治青鞜《せいとう》派《は》の現代版、人生戦線拡大にうつつを抜かしている。

オジサンは、新聞の死亡欄を見て、五十代六十代の死が意外に多いのにショックを受ける。

オバサンは、いかに年代が近かろうと、ヒトはヒト、という感じで、ショックなんか受けない。

かつ、自分だけは死なない、と信じている。

オジサンは不倫を夢みるが、もしそんなチャンスがくれば、あとさき見ずにのめりこむかもしれない、と危惧《きぐ》し、その危惧自体を夢みている。

オバサンは、もし不倫のチャンスがあれば、まず相手の身もとを興信所に調査させようと思っている。やくざな男にひっかかって恐喝されたり、つきまとわれたりするのはアホらしい、と考える。人品骨柄《じんぴんこつがら》、資産も調べさせようと思う。オバサンは実際的であり、主情的というより、主知風である。

オジサンはこのごろ、西洋医学には疑問的で、漢方薬に親しんだり、している。

更に読書傾向としても、中国古典の叡智《えいち》に学ぼうという姿勢がいちじるしい。『論語に学ぶ経営法』とか、『孫子《そんし》の兵法にみる人の使いかた』などの本を熱心に読む。どんどん中国に傾倒する。

オバサンはどんどん欧米、ことにヨーロッパ文明に私淑する。『ベルばら』ブームからフランス革命史好きになり、ヨーロッパのブランドもの好きになり、ダイアナ妃訪日をきっかけにイギリス好きとなる。ブランドの服を着て、オバサンは女っぷりが上がったように思うが、オジサンから見れば、オバサンは何を着ても一緒にみえる。

オジサンは王室・皇室のニュースには関心がない。しかし、バースがどうした、掛布《かけふ》がどうした、岡田が打った、というと、どんな時でも、つい目と耳はそのニュースにぱっとひきつけられる。

オバサンはバースや岡田には無関心である。しかし皇室の次男坊の宮さまがおヒゲをたてられた、長男坊の宮さまのお妃《きさき》が、ということになると、目と耳はそのニュースに釘付けになる。ダイアナ妃のニュースのときも、すべてをうちすてて、テレビの前へ走っていく……。

〈なんでこう、違うんでしょうねえ、おっちゃん〉

私はカモカのおっちゃんにいう。

〈本能でんなあ〉

とおっちゃんはひとこと、しみじみという。

本能、といわれたらそれ以上どうしようもない。ま、違いをいい立ててみてもどうしようもないが。

(『女のとおせんぼ』一九八七年・文藝春秋)

III

結婚について

私は結婚生活というものには、自分のもヒトのも多大の関心と興味をもっている。それで私は経歴や身上調査書やアンケートの「趣味」欄に書きこむときは「結婚」と入れることにしている。私の趣味は結婚である。男と女というものは面白いもので、私はそれが人間関係の最も要約されたかたちである、と思うから、いつも小説に書くテーマはそればかりである。

そして私の場合、小説というものは人間関係以外、書くことはないように思われるからである。

さて、結婚をテーマに小説にするとき、私がいつもドラマを感じ、おかしさをみつけるのは、結婚の現実と理念の、落差である。

人は、結婚についてたいへんな理想をつくりあげてしまった。結婚式もそうだが、その前の、見合い、交際、婚約、結納、気の遠くなるようなおびただしい煩雑な手続きを経《へ》てやっと結婚にこぎつける。

その結婚にもかたちがあるのであって、夫と子どもたち（その子どもはたいてい美しくかしこく気立てよく、男と女と一人ずつ）、家の道具は何々ときまりきった型ができあがっていて、そういうものが結婚だと思っているのである。

この中の一つでも欠けると、人は不安になり、欲求不満になり、悶絶せんばかりになる。

何かが足らないからといって、ほかのもので間《ま》に合わせるという融通は利《き》かない。一つ足りないと数を合わせようとして、狂奔《きょうほん》する。

道具は金さえあればそろうが、人間はうまくいかない。子どものない夫婦はやっきになり、子どもをつくって結婚を全《まっと》うしようと、さまざまに心をくだく。

これが、夫や妻の数が足らないときも、電子ジャーやピアノやガーデン・セットと同じである。

結婚には夫と妻がいなければいけないというので、ともあれ、数をそろえておく。雛人形のワン・セットのように、一つでも数が欠けてはいけないというので、少々、首があっち向いていようと、どこかが欠けていようとそろえておく。

現状ではそろえさえすれば、結婚ができあがったことになっている。そうして、ワン・セットそろえた人々は大いに満足して、そろえていない人に向かって、

〈よく一人でいられるわね、私なら、考えられないわ〉

などといったりする。

しかし、かなり多くの結婚は、頒布会《はんぷかい》の食器みたいに、ワン・セットそろうまで月々掛け金を払ってあつめるのとかわらないのである。

そういう世界では、「そろうこと」(ワン・セット)が美徳であり、欠けることは悪徳だから、何が何でも、離れる、割れる、脱《ぬ》けることは考えられない。

こうして、愛がなくても、男と女の間が死の灰の如く冷たい仲になろうとも、離れないでくっついているという、たいへん日本的な結婚ができあがる。

〈子どものためにがまんして……〉

〈子どもだけがいまの私のたのしみ〉

などという言葉を、私も現実の周囲にどれだけ聞いたかしれない。

それは子どものためというより、ワン・セットそろえる欲望のためである。日本人は完璧主義者であるから、ワン・セットそろわないと気が気ではないのである。

そうして日本人という奴《やつ》は、たえず前後左右を見回し見比べないと生きていけない民族なので、他のセットのそろいぐあい、欠けぐあいとくらべ、ところどころ自分のふち欠けを修繕したり、塗り直したりしてセットを長もちさせるわけである。

しかし、セットも所詮《しょせん》は、陶器ではないから、無理がおきる。強《し》いてたばねておいても人間だから、どうしても坐りが悪かったり、詰めこみかたが拙《つたな》かったりして、はみ出てしまう。

つまり、愛のない夫婦が、むりに同居しているとき、そこに理想と現実の落差ができて小説の題材になる。

小説にすると面白いが、しかし、これは笑いごとではなく、私はこの日本的な、あまりにも日本的な状況こそ、告発すべき第一の元凶であると思えるのである。

日本には離婚を禁ずる法律がないけれども、せっかくのひとそろいをこわすまいとして、心の通いあわぬ夫婦が共にいることは、これは結局、離婚を禁じられていることと同じである。

＊

その禁ずるものは何か？

先にあげた子どものためというのもあろうし、完全なひとそろいでいたいという、虚栄心からでもあろうし、経済的なものもあるだろう。

私の友人の女性は、もう十何年来、愛のない結婚生活を送っているが、その理由は、〈家賃、ガス、水道が安くつく。新聞、電気代、すべて一人ぐらしより安くつく〉というのが唯一の理由である。

彼女は夫との間に子どもはない。

夫がほしがらないのだという。夫は離婚した妻とのあいだに一児があって、それは前の妻が引きとっている。ときどき見にいくのがたのしみだという。

私の友人は、どうもそれ以来（夫が、子どもをほしがらぬということを表明して以来）うまくいかなくなった。

しかし、べつにとりたててケンカしたわけではない。ヨソの男よりは、まだ夫がマシで、いっしょに住んで目ざわりだということもない。ましてガス、水道、家賃が安くなる。

〈となると結婚してるほうがマシよね〉

ということなので、まだ別れていない。

それどころか、そんな状態で十何年もたっているのである。

そういう結婚もあるわけだ。

それはまだしも、夫は勤務の都合上、単身地方へ赴任して、妻は子どものために都会にとどまっているという夫婦もある。私の知っているケースはまだ半年ばかりであるが、そういうふうな別居をしていて、なぜ夫の赴任地へ行かないのかといえば、

〈子どもの進学のため〉

というのである。地方へいくと、いい高校へ入ることができないからだという。

私は、子どもを連れて夫のもとへいくか、子どもを人にあずけて夫と共に住むか、する気はないのかときいてみた。

〈それはあかんわ、でけへんわ〉

と、大阪女のこの友は言下《げんか》に答えた。

〈そうかて、学校がいちばん大事やないの〉

というのであった。

いまや夫と妻の関係よりも、子どもの進学のことが夫婦間での大きなウェイトを占めるようになっているのか、また夫と妻は、離れて住もうが共に暮らそうが、何ら影響のない間柄になってきているということか、ともかく、わが友は、夫よりも子どもをとって、別居しているわけである。

この夫婦もむろん、とりたてて仲が悪くて別居したわけではないから、月にいっぺんは夫が帰って来て、仲よくすごし、

〈たまにあうから、かえって新鮮で、楽しいねん〉

と別居夫婦は、誰でもいうセリフをいっていた。

しかしこれはまだ別居半年であるから、こんなことをいっているのだ。

まあ、ご本人同士がそれで満足していればどうということはないのであるが、私がいいたいのは、夫より子どもをとるのが当然、という考えかたで、妻はもとより、夫もそ

れをしごく当たり前に考えている、それが私にはこの頃、ことあらためて、ふしぎな結婚だなあ、と思わずにいられないのだ。

〈何はともあれ、自分のそばにいてもらいたい。いや、いるべきだ〉

と妻の随伴を主張する夫は、わがニッポン国では、あまり見当たらないのではないか。

また、子どもを人にあずけてでも夫のそばを離れまいとする妻もしかり。

ほとんどは不可抗力のごとく別居して、それで家庭という枠からはずれもせず、はずしもせず、平穏無事に夫婦というワン・セットの生を終える。「喜びもなく悲しまず、はた誰をかも恨むべき」――而《しこう》して偕老同穴《かいろうどうけつ》を全うするのである。


　ニッポンの家庭は、数がそろいさえすればみな偕老同穴の優良無事故夫婦みたいなところがある。その中身の濃い薄いは問うところではないのである。


　夫も妻も、たがいに期待し求めることはなくなる。

「子どものため」「おばあちゃんがいるから」「おじいちゃんの世話が」ということで夫婦離ればなれになっても、痛痒《つうよう》を感じない。

　たまに感じても、
〈いい年をして〉
ということで人にたしなめられたり、みずから愧《は》じて制御したりする。
それが夫婦であって、結婚というものだト、夫と妻というのは、オトナであってもう甘いことをいいあう恋人ではないのだト、ある年輩に達したら、自分のほしいままな心情は抑止して家族のためにつくすべきだト、そういうタブーが、がんじがらめに私たちを縛っているのが、ニッポンの結婚である。

　妻たちもそうであるが、まして夫は早くに結婚に期待を持っていないことを暴露してしまう。単身赴任という仕儀にたちいたっても一向動ずるけしきもなく、おとなしく荷造りして出ていく。

〈子どもなんかほっといて、オレについてこい〉

　とは、ニッポンの父親は決していわないのである。〈いってらっしゃい〉と家族に手をふられ、見知らぬ田舎町で働き、ひとり黙々と食事して、汚れものを洗い、夜は週刊誌を読むか、ラジオを聴くかして、自分に与えられた運命を黙々と甘受している。

　片や妻のほうは子どもたちとにぎやかに食事をして、夫とより話が弾む。食後のお茶、くだものと、みんな座を立つものもなく、テレビに見とれて共に笑い、平常に変わらぬたたずまい。月給はちゃんちゃんと送られてくるのだし、亭主の面倒がないだけでもうけものである。こっちのほうも、

〈お母さんはお父さんについていきますからね〉

　ということは、ニッポンの母親は決していわないのである。

＊

しかし私は、ニッポンの結婚のありかたというか慣習というか、こんなものに甚《はなは》だ疑問をもたざるをえない。

員数をそろえるだけで結婚ができあがるという考え方が、やはりいちばん根深い悪である。結婚の根本は、夫と妻の愛しかない。

こんな簡単なことが、簡単ゆえにいちばん先にふっとんでしまった。そしてニッポンには結婚がなくて家庭だけある家族が、いかに多いことか。

『女の子の躾《しつ》け方』などという本には、ことこまかに、結婚でなく、家庭をつくることが書かれてある。これは男が女にたいする大方《おおかた》の要求、希望といってよろしい。

ニッポンの男たちは、女に妻としてより家事専従者、家庭経営のエキスパートとしての才能しか求めないのである。

家庭づくりの妙手《みようしゆ》としての女の子のしつけ方を男たちは熱心に説き、女の子を「結婚」させようとは夢にも思わない。

結婚というのは、男と女が愛し合うこと、それを土台に人生をつくること。

家庭というのは、結婚式をあげて夫と妻と子どもとワン・セットそろえることである。

そのエキスパート、つまりセットづくりを養成して、それを結婚と混同しているのが、一部のニッポンの男たちである。

ニッポンの男は（女も然《しか》りであるが）、女よりさらに、人を愛するということが下手《へた》で、いったい女を愛するということにかけては、からきし不能なのが多い。女を愛することの何たるかがまるでわからない人間が多い。

女の性質も女の才幹《さいかん》も、さっぱり見ぬく能力がない。能力のないものがどうして愛することができよう？

そういう男が、たまたま女と結婚しても、どうして男と女の愛を育ててゆくことができようか？〈子どもはいい。オレのそばについていてくれ〉と自我を主張することができようか？

女の何たるかを見ぬく力がないのだから、そういう外へプラスして出たものをみとめるより、内へ引っ込んだマイナスのない、世間の基準どおりの女の美徳（といわれるもの）をそなえた女を選ぶほうが、無難と思うのであろう。そうして結婚してからも、世間がふつうにいうような慣例に従っているほうが気が楽なのでもあろう。

男がそう思う以上、女も、愛を育てることに怠惰になる。育てなくても大きくなる子どもへの愛情で万事すませる。

このニッポンでは、そうやって、いちばん自然な人間関係、母と子というつづき柄のカビが、あらゆるものに生えてくるのである。

親子というカビが人間関係をおおいつくし、何もかもを埋めつくして、たいていの可能性を窒息させてしまう。

だから私は、ニッポン国においてほんとうの意味の「結婚」などあるかと問いたいのだ。気の利《き》いた男や女が、結婚しないで独身を通しているのは当たり前である。

そして男と女とを比べれば、私はむろん、男のほうが、その責任は大きいと思うものである。

ニッポンの男たちがしたり顔をして、

〈愛の恋のと、そんなたわけた、愚にもつかぬことをいう奴はバカだ〉

とか、

〈大の男がいい年をして、そんな寝言をいっていられるか〉

とか、粗放なことをいうのにはもう、私はほとほと飽き果てた。

彼らはいつまでたっても、結婚なんか、員数合わせ、家族合わせとしか思わないのである。『女の子の躾け方』を読んでそのとおりに女の子をしつけ、「結婚」の部分をとばして「家庭」をもたせようとする。

愛することは、結婚にあっては道徳である。

しかし、ニッポンの男たちは、わずかにそれらしきもので満足する。

自分も求めず、女にも求めない。第一、求めるべきものがどんなものかわからない。

愛という核ぬきで家庭をつくるとき、女が引きうけるのが、子どもだったらよいのであるが、たまたま、寝たきり老人の世話などであったりする、そういうとき女に皺寄《しわよ》せがいって女がどんなに苦しむかなどとは考えてもみない。

それは、男たちが愛することを知らないからだ。

結婚の根本に愛があれば、女たちはたいていの皺寄せに耐えうるであろうが、男も女もそれを育てるすべのないニッポンでは、ただただ、女が犠牲になり、苦しむばかりなのである。

ニッポン人は愛することのできない民族なのであろうか？　結婚のときになって急にオタオタしたって手おくれであって、じつはその前、子どもの頃から、男を、女を、愛するスベを知らないのだ。それでは、オトナになって急ぐからといって、愛することをおぼえられるわけがないのである。

実をいえば、私は、ニッポンの男は、いろいろ美点があると思うが、女を愛せないというだけで落第だとも思うものである。

女は男につれて変わってゆく。男が、女を愛する能力、女を見ぬく能力、愛が結婚の根底であること、を知る能力を身につけたら、女はたちまち、変わると思う。

そのとき、ニッポンの結婚も、そのすがたを変えているかもしれない。員数合わせの家庭でなくて、男と女が作ってゆく人生になるかもしれない。

もっとも、そうなるには、まだまだ時間はかかると思う。ニッポンの男はもっと幼い時から愛について洗練され、人間の嗜好《しこう》、趣味について深い洞察力をもたなければいけない。夫と妻が、そのまま男と女であるような結婚が行なわれなければ、解放された結婚とはいえないわけである。

それでなければ、いつまでも女は家庭経営家になり、あらゆることの皺寄せが、たんに苦役《くえき》として女の上にのしかかるだけである。そうして、愛を知らず、理解も共感もないニッポンの夫は、その上にあぐらをかいて坐っているだけである。

（『女が愛に生きるとき』一九七三年・講談社。初出は「婦人公論」一九七二年十月号）

別れも楽し

ルナアルだったか、『別れも愉《たの》し』というじつに面白いお芝居がある。かつて愛し合った年上の女と年下の男。男は結婚のためにお別れの挨拶に女のもとを訪れる。たのしく、愉快に二人は別れを告げあう。おかしくって、しかもちょっぴりほろにがいセリフによって、この別れは美しくよそおわれる。

昔、私はそんな男女の別れにあこがれていた。

私は『もと夫婦』という小説を書いたことがある。そうしてこれをテレビドラマにして高島忠夫さんと中村玉緒さんにやってもらった。離婚した夫婦が、何となく、ちょくちょく逢い、ヨリがもどったようなもどらないような、顔を合わせばケンカになるが、何かコトが起きると、呼び出して逢う、というややこしいもと夫婦のおはなしである。

高島さんと中村さんの好演のおかげで、私の意図した雰囲気がでて満足であった。

二人は復縁するつもりはないが、するかもしれないし、しないかもしれない。気心が知れていて、よき話し相手でありながら、どっちも、もう結婚して鼻つき合わせるのはマッピラだと思っている。ことに夫のほうはそうである。気がいいばかりに、もと妻の呼び出しに応じてノコノコ出ていってはつまらない用ばかりいいつけられ、損な役割をおしつけられ、腹が立ちながら、ツイ、向こうの身になって考えたりして、用を弁じてしまう。あげく、そういう自分のお人好しかげんに我と我が身が腹立たしくなって、もと妻をののしって飛び出すが、またしばらくすると……という、くりかえしになる。

これは切るに切られぬ絆《きずな》が二人のあいだにあるからであり、その絆は何かというと、やさしみである。

いまにも切れそうに風に吹かれているが、それでも切れずにたえだえにつづいている、そのやさしみが二人の心をかよわせ、別れたあと、もういちどの復縁はマッピラだと思いつつも、片方が弱ると、片方は、宿敵の負傷を見舞いにゆくような感じでノコノコ出掛けていくのである。

そういう男女関係、またそういう別れこそ、私の書きたかったものだったし、私の好きなものだった。

しかし、いまつくづく考えてみるに、所詮《しょせん》それはドラマの中の虚像である。『別れも愉し』にせよ、『もと夫婦』にせよ、それは舞台や紙の上の幻であり、見果てぬ夢にすぎぬ。うそであり、まやかしである。

別れに楽しい別れ、スマートな別れ、美しい別れはあり得ない。私は本質的にそう思っている。虚構の中でこそ、あのお芝居やドラマはいきいきと虹のようにあらわれてくるのであって、現実の別れはみんな、七転八倒というものではないかしら。

そして、それゆえにこそ、私は人間が、ちょっといいものだと思える。

＊

私は人と人とが心をより添わせ、たくさんの人の中からことさら、たった一人の男、または女をえらびとり、その絆を結びあうことを、たいへん、意味の深いことだと思う。めぐりあうことの意味の重さを考えずにはいられない。そういう人間同士が別れるとき、どうしてその別れが、楽しくスマートになり得よう。人間らしい人でないと、スマートな楽しい別れはできないが、人間らしい心をもった人が、どうして楽しく別れられよう。

そこに大きな矛盾があると思う。

私は、何心《なにごころ》もなく、くっついたり離れたり、というような男女関係は、この際、話のそと側においていう。また、そういう関係を金銭で交換する場合も、しばらく措《お》こう。

少なくともそこに愛があり、選択という心のうごきがある場合のことである。たくさんの人の中から、この人をえらんだ、というむすびつきの場合、その関係が断たれるとき、血が流れないはずはないと思う。イヤでイヤでたまらない夫から、または恋人から）逃げてきたようなときは、たぶん、それは逃げるとか切れるとか離れるとか去るとか（オリるという人もあろう）いうのであろうし、別れるというコトバは使わないと思う。別れるというのは、双方、血を流すような状態のときにこそ、使うべきものだと、私は思うのである。

七転八倒の状態のときにこそ、別れという意味の本質的なものがあり、それはさらによりよい状態をつくるための前駆的なものだとしても、私は、やはり、別れを、痛みと同義語みたいに感じてしまう。だから、できるならば、愛し合って結ばれた人と人は別れないで共にいるのが最高の生である。死が二人を裂くしか、ほかの別れはないのが、いちばんあらまほしい姿であろう。ただそれも、惰性で別れないでいるのでなく、双方もし別れるとしたら、血を流さずにはいられないような、充実した緊張のままで、一生を終えたいという気がする。

私は七転八倒の別れを愛する。もし自分がそうなったら辛《つら》いだろうけれども、人間としてあるべきかたちのような気がする。そういう重い意味のときだけ、「別れ」ということばを使いたい気がする。

そういう状況としては、恋人関係よりも、夫婦関係の方にウェイトがかかるのは当然であろう。夫婦は恋人が同棲しているのとちがい、社会とのつながりの上にでき上がっている単位なので、社会性をもつから、七転八倒の中にも複雑な要素が入ってくる。財産分配、子どもの処遇、考えただけで気の遠くなるような煩雑さがある。その上に、夫と妻の心の苦しみが加わる。離婚に費やすエネルギーのことを考えたら、もう一度やり直すほうがはるかにやさしいと、離婚経験者たちはいう。

*

私の知っている奥さんは、夫に女ができて離婚した。彼女はすばらしい美人で、自分で洋裁店を経営していた。店の女の子と、勤め人の夫が外で逢っていたのを、長いこと知らなかった。かしこいくせにお人好しの彼女は、自分で働きながら、家事もし、夫の世話も見ている気でいたのだが、夫が〈オレのことは放《ほ》ったらかしだ〉と思っているのを知らなかった。夫の不満は、女の子の同情と重なって、住み込みの女の子は家を出てアパートを借り、夫はそこへ寄るようになっていた。それすら、まだ奥さんは知らなかったのである。夫もけどらせないようにしていた。女の子は店を変わった。そのころ、やっと噂になって、奥さんは真相を知ったのだから、のんきである。すべてがばれたので、居直ったように夫は着のみ着のままで家を出て、女の所へいってしまった。冬になったので、夫の服を送ってくれ、と女の子が電話をかけてきた。

〈私、主人の服なんか、もう二度と見たくないから、もちろん、みーんな送る、っていったんです〉

と奥さんはいった。

〈そして簞笥《たんす》や押し入れの衣裳缶《かん》から冬服やオーバーを出してきたんですけどね……見てたらもう、腹がたって腹がたって……。私、裁ち鋏《たばさみ》もって来て服をズタズタに切って、それを小包みにして送ってやったんです〉

まだそれほど時間がたっていないのだろう、そういう奥さんの声にこもった力と熱気がいかにも物凄く感じられた。商売柄、ぴかぴか光る大きな裁ち鋏がいくつもある彼女の周囲を知っている私には、ぞっとするような、しかし女の共感を誘わないではいられない、説得力のある話だった。


男の知人で、離婚した人がある。彼は妻のところに中学生の娘をおいて来た。その娘は離婚した父親を母と自分の敵として、烈《はげ》しく憎悪している。いまのところは、第三者の意見も説得もうけつけないで、憎い存在として父親のことを思い込んでいるのである。

知人は、〈まア、しょうがないですよ〉と、のんびりいった。

〈そう思いこんでいるほうが、むしろ幸福なんではないでしょうか。みんな僕の責任としておいたほうがラクでしょう……もとの女房は僕を憎んでいるのに、娘がどっちへも同情して、間に立って心をいためたりしたら可哀そうです。母親といっしょになって僕のワルクチをいっているほうが、あの子には幸せでしょう〉

私はそんなものか、と思ったが、それをいう彼が、ながいこと苦しんだ末に離婚したのを知っているので、聞いているほうが辛かった。

一見、何気なく彼はいうが、妻はともかく、彼はたいへん子煩悩で、娘を愛していたのである。別れは修羅場である。

こんなものを見聞きしていると、「別れ」というイメージには、おしつぶされそうな重い暗い手ごたえしか、私には感じられない。だから、たのしい別れ、たわむれごころのつづきのような、やさしい別れに、私はあこがれるのである。

*

もし、さっきの二つの別れみたいな、修羅場を通りこして、その苦しみをつきぬけたところで、やさしい、たのしい別れができたらどんなにいいであろうか。人間は、それができるものであろうか。……あの『別れも愉し』の若い男、結婚を目前に控えた男は、その娘のことを女にしゃあしゃあと話す。女も、無垢《むく》でやさしい少女が彼の妻になることに満足である。女のほうは、これは「恋という恋をしつくしてきたような女、それでいて何にも残らなかったような女」と設定されている。

まだ充分美しく、色気もあり、心も軽やかで、年相応のボーイフレンドもあって、青年は時ならぬヤキモチもやくわけである。二人はそのかみの二人の手紙（それは熱烈なるラブ・レター）をとり出して、たがいに読みあううちに、恋の文《ふみ》からの熱気にあてられ、青年の心にはあやしい情緒がよびおこされる。しかし恋の手だれである女は、それがいっときの気の迷いと知っているのである。二人の愛は去ったのだと、わきまえている。「ほんとにおばかさんね、あんたって」というようなあしらいかたで、青年を帰してしまうのである。「恋という恋をしつくしながら」なんにも財産を残さなかったこの気のいい女は、また、一つの恋を失い、一つの別れを加えてゆくのである。

しかし彼女はそれを美しい傷痕《きずあと》として、目にみえない財産として残してゆき、自分の内なるものがそこなわれたり、失われたりしたとは思っていないらしい。

別れのくるしみをしっかりと受けとめ、たじろがずに手に受けて、耐えている。それでも、手は火傷《やけど》のあとでいっぱいである。それを人にみせない。火傷のあとを、ひとりいつくしんでいるのである。

人と人の心が結びつくものならば、また、離れるときもあるのであろう。そのことを前もってあきらめて見通している、あるいはくり返しのうちに、それを知り、ゆるす気持ちになっている、そういうゆとりが、『別れも愉し』の女を、別れかたのうまい女にしたのかもしれない。

つまり、スマートに別れるには、スマートな関係でいるのが必須条件なのかもしれない。別れに血を流しながら、それが憎悪や仇敵《きゅうてき》の間柄にならず、お互いに芳香を放つ傷になるには、双方ともに、つよい個性がいるのではあるまいか。

別れようとする、放すまいとする、引き戻される、思い直す、もう一度やり直そうと決意する、ためらい、とまどううちに、いよいよ泥沼は深くなってゆくのであろう。そのとき錯誤・疑惑はもつれにもつれ、愛が深ければ深いほど解けがたいしこりを残す。その別れは修羅場になる。

「恋という恋をしつくした女」は、おのずと人間の心に対して悟りというか、解脱《げだつ》したものがあるのかもしれない。人間を洞察すると、ゆるすほか、なくなる。

個性がハッキリしてひとりだちできるのは、やさしい人でないとだめだというのは、そのためである。そのやさしさは、相手をゆるすことのできる、強さに裏打ちされたものでないといけない。

＊

そのほかにまた、スッキリした別れの条件に、お互いの気持ちの距離がある。

私の友人のS子は学校教師だった。夫は銀行員である。夫が広島への転勤辞令を貰ったとき、夫婦はやっと待望の家を建てたばかり、借金も相当な額、残っていた。

〈あたし、こっちにいるわ〉

とS子はこともなげにいった。仕事が仕事だし、彼女は教え子の子どもたちを愛していたから、職場を離れるのはいやだった。

〈うん、そうやな、僕、土曜ごとに帰るわ〉

と夫も、何気なく答えた。しかし、広島と大阪は近いようでも遠く、土曜ごとの約束が月一回になったのはすぐだった。

夏休みになったら、といっていたS子もとうとう、その休み、何かと仕事に追われて夫の寮へいけなかった。最初はとても寂しかったが、一年つづいて、いつとなく別居夫婦となり、そばにいない相手に、お互いがなれてしまった。S子は新築の家を手放すのも惜しいし、いずれはまた大阪へ帰るだろうという夫の予測もあって、じっと家と職場を守っていた。留守宅、という気だった。

手紙を書いた。

庭に花壇をつくったこと、バスの停留所が家の裏になって、便利になったこと、たべもののこと……。S子の心では、一年前とちっともかわっていないのである。ただ夫がそばにいないのに馴れたというだけである。その寂しさに耐えているというだけだった。

大阪へ帰ってくるといっていた夫は、やがてこんどは東京へいくことになった。一年半たっていた。S子はこんどもいかなかったが、夫は広島でできた愛人を、東京へ連れていった。

夫は別れようといった。S子は家をもらって別れた。

最初はやはりジタバタしたそうである。男は現実的だが、女はエモーショナルな動物なので、S子は夫の心をちっとも疑っていず、昔そのままだと信じこんでいた。S子は『別れも愉し』の女のように恋の手だれではなかったから、恋や男心への洞察も理解も見識もなかった。ごく素朴《そぼく》に、結婚したままの心持ちからちっとも進歩していなかった。

夫の背信はまさに青天の霹靂《へきれき》で、話をきいたときは残酷に思われた。そういう女だから、まともに別れていたら、たいへんな修羅場である。

それが、あっさり、すらっと、別れられたのは、

〈長いこと別居していて、ひとりぐらしに馴らされたせいねぇ〉

と彼女はいっていた。

〈去るもの日々にうとし——ッて、ほんまやわねえ〉

ともいう。おたがいにあいてとの思い出は水のようにうすれてゆき、やがてそれに馴れてしまう。ごく自然の経過で別れたという。

だから、スムーズな別れの中には、個性が強く、あいてをゆるせる人生的キャリアのほかに、距離的な問題もはいりそうである。

その上に、別れてのちも楽しくあるためには、おたがいに経済基盤が確立していることではないかと私は思う。

これも私の友人、結婚式はあげたが、入籍はしていない。夫もよく稼ぐが、彼女もやり手の事業家で、税金上「ややこしい」のだという。別々の仕事、別々の姓。夫は不動産業で、彼女も土地を買ったり売ったり借家をたてたり、というのが半分、仕事。その縁で知り合ったのである。同居もしていたし、父母縁戚も列席した結婚式で、社会的にも一組みの夫婦で通っていたが、彼女は連れ子をして嫁いだので、夫の家族と折り合わず、三年ぐらいして別れることになった。

夫婦がケンカして別れたのではないので、それに二人とも仕事も資産もあるので、もつれることもなく、別れた。このほうが気楽だという。別れてからも、二人は仲よくつきあっていた。

彼女の息子が思春期を脱して、大学生になり手許をはなれるころ、男のほうは結婚した。

ついで、彼女も、べつの男と結婚した。双方、三婚めである。しかしこんどはどちらも入籍しているから、法律上は再婚である。

二組みの夫婦として逢うことはないそうである。

しかし、男と彼女の二人だけは、いまでも逢っている。ときどき逢って食事をしたり、ドライブをしたりしている。四十八、九と四十六、七という男女だから、もう何をしたって、泰然自若《たいぜんじじやく》というさまで、べつにスリルとも思わず、情人というでもなく茶飲み友達でもなし、

〈ケンカ相手よ〉

と彼女はいっている。旦那は旦那で、いいところがあるが、彼は彼で、捨てがたいそうである。

捨てがたい同士、なぜ結婚しなかったのであろうか。同じ三婚するなら、気の合う彼と、また一緒になっていればよかったのに……。

〈それはちがうわなあ〉

と彼女は即座にいう。

〈そのときは別れないかんような雰囲気になってん……人間はそこで、自然に逆ろうたらいかん。別れて、また別の男と結婚するのは、これは時のいきおい、なりゆきというもんや。けど、あの人がええ人なんは変わらへんのやさかい、やっぱり逢《お》うて喋るのは楽しみやわなあ〉

彼女は上背のあるすらりとした、いいすがたの美女で、腰のあたりは少し肉がついているが、それもすごいような貫禄にみえる。大きな宝石《いし》の指環《ゆびわ》を無造作にきらめかせ、笑い声にも表情にもあたりを払うような威厳があって、それでいて、いつまでも好奇心

つよく若々しくて、生きるのがたのしそうにみえる。煙草を吸ってから、しばらく考え、〈これ、何やろ？　色気ヌキ、いうのとまたちがうわなあ。色気はあるねん、やっぱり向こうは男や、思うし……。色気なかったら、あほらしいて、逢《お》うてもしょうむないでしょう……。けど兄弟でもなし、恋人いうのんもおかしいし、モト亭主、いうのはたのしいわア。何《なに》し、気心も知れてるし、ケンカしたかて、どうせ人の旦那やさかい、怒らしたかて平気やろ？　気ィ遣わんでええねん……〉

まさに彼女は、私が書いた『もと夫婦』を地《じ》でいっていたのである。私は彼女をモデルにしたのでは断じてないが、いつか、そうなっていたのであった。日本にも『別れも愉し』の男女が出て来ていたのである。しかし、彼女の例で見るように、ある年齢をもち（人生の年輪を加え）ある資産をもって、人生に自信のある人間にして、はじめて持つことのできる関係かもしれない。

（『女が愛に生きるとき』一九七三年・講談社。初出は「婦人公論」一九七一年十二月号）

結婚とは

家庭をつくるより前に、結婚の土台があるということは、考えれば当然のことなのですが、現実の結婚をみていると、深い疑問を感じないではいられません。

「お見合い」というのは日本のいい風習の一つだと思いますが、そこへいくまでの過程をみて考えさせられることがしばしばです。

私の知人の一人に、お見合い仲介を仕事にしている婦人がいますが、手持ちの候補者を何十となく選《よ》りわけて、

〈こちらは大学出、こちらは高校出、えーと、こちらは短大出、……〉

と学歴によって分類していました。写真と身上書などをひと組みにして、あっちへやられ、こっちへやられする候補者をみていると、全く、商品カタログという感じ。引き合いがきて、見積もりを出して、商談が成立する、そのとき条件に合わない商品は、カタログの段階ではねられてしまう。

どんなにすばらしい男性でも、背が低かったり、容貌が独特だったりすると、書類審査の時点ではねられてしまう。

女性の場合も同じ。ほんとに、「お見合い」の本質には、奴隷市《どれいいち》みたいな部分があって、おそろしくさえ思えてしまいます。

でも、人生で一ばん大切なのはめぐりあいということで、そういう過程を経《へ》ても、いい人にめぐりあえばいいのですが、そして世の多くのお見合いは、そうやってめぐりあったのでしょうけれど、また片方では空虚な家庭をつくる原因になっているような気がします。

きちんと条件にはまった結婚だけが結婚ではないのです。

しかし何にせよ、結婚というものは、めぐりあい、ということです。

誰かにめぐりあうということ、この人にめぐりあうために、今まで無数の人に逢ったのだ、と思うような感じを抱かされる男（女）にあうことは、これはもう、運命です。

神さまの領域です。

〈縁がない〉

ということをいいますが、縁がなければ結ばれるべきものもほどけてしまうので、結婚のむつかしさはそこにあります。

誰しもが宿命的なめぐりあいをするわけにはいきませんが、でも、そこが人間の面白さで、気持ちの通じあいそうな予感のする人に多少、あうことはあるでしょう。そのとき、条件を優先させるか、予感を優先させるかは、その人の結婚観によるのは無論です。そして私としては、なるべく条件はひっこめて、この人を愛せるかどうか、一緒に生きる相棒としての観点から考えてほしいと思うものです。

例の仲人《なこうど》マニアの婦人が、あるとき、条件は満点の男性をあるお嬢さんにお世話しました。男性もお嬢さんが気に入り、めでたく婚約成立、というところでお嬢さんからことわってきました。

〈やっぱり考えてみると、気がすすみませんから〉

の一点張りでした。惜しい縁談だと、周囲から極力、彼女は翻意《ほんい》を促されましたが、彼女はことわりつづけました。

〈あんなワガママなお嬢さんはありませんよ。あれは、ワガママってもんですよ〉

と仲人マニア婦人は大立腹でした。

でもそのお嬢さんは、かげでこっそり、私に向かってクスクス笑いながらいうのです。

〈条件はりっぱよ、それにきっとほかの女のひとであの人を気に入る人もあるでしょうね。でも、わたしは何かしら、気が合いそうになかったの。第一、あの人の子供を産むなんて考えられない感じだった〉

〈どうして？〉

〈そんなこと、考えただけでもゆううつだったわ。だって、もし結婚すれば、あのひとの子供を産むのはわたしで、あの仲人のおばさまが産むわけじゃないんですからね。義理の、ワガママの、といっていられない……〉

それで、私も笑ってしまったのです。まあこのひとみたいに、感覚的にきらいだという男性と、人間関係ができようはずはありませんが、結婚には愛が土台だという、いちばん大きな、あたり前のことがちっとも大切にされていない、世の大方《おおかた》の結婚観をさびしいことに思います。

私の知人の男性も、仕事の関係でながい独身生活でした。もちろん、愛する女性もなくはなかったのですが、結婚しようとすると母親が反対したりして、どうしてもまとまらないでいるうちに、三十八になりました。彼は、

〈もう、こないなったら、誰でもいっしょや、女なんて、そう変わるもんやあれへん〉

といい、母親の死を契機に、紹介された娘さんと大いそぎで結婚してしまいました。彼がうまくいっているかどうかは、私にはわかりませんが、いまだに後輩に向かって、

〈誰と結婚したっていっしょや〉

といっている彼の女性観、結婚観を、私は心浅いことに思います。中年になってそんなことしかいえない、日本のオトナの、さかしらな恋愛観を、さびしく思います。

私はオトナたちこそ、若い人たちに、結婚は愛からはじまると、大きな声でいわなけ

ればならないと信じています。

若い人がすべては愛から、といい、オトナたちが、それは迷妄《めいもう》だというのはあべこべです。

いろんな経験を経《へ》てきたオトナたちが、愛の何たるか、恋の何たるか、愛する人のそばにいること、愛する人の子供を産むことの何たるかについて、語らなければいけない。そのために人生があり、「家庭」がある、それを若い人に教えなければいけない。

それがいえるオトナが少ない。

いえるだけの愛の経験を経てきたオトナがいない。

それは日本の国のさびしさ、貧しさ、うすっぺらさです。

みんな「家庭」はつくるけれども、「結婚」をなおざりにしている。それで以《もっ》て、日本のさかしらなオトナたちは、愛について、恋について、語れないのです。日本人のオトナ

語れるだけのものが、胸の底にはたまらないような気がします。日本人のオトナといというのは、心の底がアミ目になっていて、ザルで水をすくうように、かんじんなものが流出してしまう仕掛けになっているのでしょう。

ザルのアミ目にのこるのは、金とか、子供の出世とか、家を建てることとか、……ばかりなのです。

またしても、目にみえるもの、手でさわれるものばかり残るのです。

愛の思い出、恋の月日のつみかさなり、それらは煙のように手でつかめませんが、しかし体の奥ふかくしみつき、くゆり、濃く匂い立って、人々の人生を変えてしまいます。

〈愛した、恋した、だから結婚しましたよ〉

といえる、老いた夫たちや、

〈やっぱり、恋愛して結婚しなければいけません〉

といえるような老いた妻が出るのは、この日本の社会では、いつのことでしょうか。

真の結婚をするためには、個性が確立していなければならない。自我のないところに個性はないのです。

自分というものが確立していない人がどうして他の人格を愛することができましょう。

自分という人間を大切にしない人が、他の人を大切にできるはずはない。

その個性を矯《た》めて「女の子らしく」「女の天職にふさわしく」躾《しつ》けられ、あらゆる圭《か》角《ど》がとり払われて円満な、誰に向けてもうまく折り合える、そんな娘が最高とされる日本では、個性が尊重されるはずがない。

日本では恋愛の末、結婚へ、というプロセスが常識にならないわけは、それです。若い娘を、千篇一律《せんぺんいちりつ》の型にはめよう、カドを取り払い、クセを矯正しよう、という教育にばかり、熱中しているからです。

日本では真の人間解放は、ありませんでした。

日本では、恋愛はまだ、市民権をもっていません。

ことに、男性の意識は遅れています。〈女なんて誰でもいっしょや〉という男たちが、意外に多い気がします。若い独身男性のアンケートをみても、「理想の妻」に対して「おとなしくてしとやか、つつましい人、家事に没頭する人、しかし生まれる子供のことを考えると、あたまのいい人が望ましい」などという答えが出て、それらことごとくが二十代の青年ですから、感慨があります。

男の性《さが》というもの、これはもう古今にわたってニッポンの男は変わらぬものらしい。

ほんとの意味で「結婚」するのは、いまの時代ではむつかしいかもしれません。

でも私は、いつか読んだ、ある投書者の主婦のことを思い出します。

彼女は五十歳、夫は少し年上で、もうすぐ定年という年ごろです。

夫はとうとう、めざましい出世はできませんでした。しかし妻は、まじめに働く夫に深い尊敬をもっています。それから、妻の自分と三人の娘を大切にしてくれる夫に、感謝と愛情をもっています。

「〈夫は何十年と会社につとめて、精勤賞のほかは何のごほうびも頂けませんでしたが、私は、よき夫、よき父としての彼に、家族から勲章をあげたい気持ちです〉」

と彼女はいうのです。

そして、おまけに彼女は、今でも夫に恋しています。

「〈恥ずかしいことですが〉」

と彼女はいいます。

「〈五十になった今でも、夫が帰宅する靴音を聞くと、うれしさで心が弾みます〉」

幸福な人生、というのは、彼女のようなことをいうのでしょう。

これをこそ、結婚、というのでしょう。あたり前のことが珍しい、という社会は、不幸な社会です。

（『続　言うたらなんやけど』一九七六年・筑摩書房）

家庭のかたち

結婚にいろいろなかたちがあるように、家庭にもいろいろなものがあってもよいのは当然です。

サルトルとボーヴォワール、という二人のすぐれた男性と女性は、もう長年にわたって夫婦であり、恋人であり、同志であり、家族でした。しかも二人は、別々に暮らしています。おたがい散歩していけるくらいの距離をへだてて住み、たがいに往き来して、時には食事を共にし議論に夜の更けるのもわすれて、こよなき共感と信頼と尊敬をもちあいながら、別々に住んでいます。

おたがいの仕事を尊重し、その自由を侵さないためです。

思想家、作家としての彼らは、独りの自由時間を尊重しあわなければいけないからです。

世間では別居結婚とよびますが、これは、互いに仕事をもち、独立して暮らせる中年者のあいだでは成り立つかもしれません。

どちらも同じくらいの仕事をしていて、どちらにも収入があり、どちらも健康だったら、別居もいいでしょう。

むしろ、中年者だったら、ある程度、折り合おうとしても折り合えぬ部分がある、それを補うために別居して、自由を手もとに保留しておくやりかたも賢いと思えます。

これから先になると、もっといろんな家庭のかたちが考えられると思います。なぜなら、将来の女性は職業をもつ人が多くなるだろうからです。

そうすると、たぶん家庭も、今までのように、夫が働き、妻が家庭を守る、という形では保たれていかないようになるでしょう。

二人がチエをあつめて家庭のかたちを考えなければなりません。

共ばたらきの場合、女だけが負担が重くなり、ついに家庭まで崩壊するということもないではありませんが、それは、二人で家庭のかたちを検討し足らなかったからです。

精力のほとんどを、会社で働くことに集中せずにいられぬ妻は、家へ帰ると、何ももう手につきません。疲労困憊《こんぱい》です。

そんなときに、夫のほうが尚かつ、世間なみな家庭のかたちに固執《こしつ》していたら、家庭はとても成り立っていけないでしょう。

結婚にいろんなタイプがあるように、結婚して作る家庭にも、さまざまなかたちがあります。

ほんとうに愛ある結婚が土台になっていれば、家庭のかたちも、いろいろに創造できます。サルトルとボーヴォワールの別居結婚もそのひとつです。

男性が早く帰れば台所に立ってもよいでしょうし、日曜は夫が蒲団《ふとん》を干してもよいでしょう。

夜おそくまで残業してきた妻のために、男性が朝食をつくってから妻を起こしにゆく、もちろんその反対の場合もありますが、そういうかたちでつづく生活、家庭がふえるべきです。

一軒一軒の家庭のかたちはちがうはずです。

たとえ団地のように各家庭の間取《まど》りや設備配置などが全く同一でも、家庭のありかたはちがいます。しかしそれも、結局は、愛が基礎になければ、独自の家庭などというものはつくれるはずがありません。

愛は、いろんなものを創造し、いろんな不可能を可能にします。

愛のある結婚、というと何だか構えたコトバでいやなのですが、愛していることに気付いたら、いつもいっしょにいたくなった、それなら結婚しよう、ということになった、というようなことでしょう。そして結婚しても愛し合う、ということは、何も仰々《ぎょうぎょう》しく、ことごとしいことではなくて、お互いにいつも相手のことを考える、ということで、そのことだけで、ものごとが解決してしまう、ふしぎな部分があります。

私の知っている若い夫婦ですが、共ばたらきで、いつもスレチガイ、ほとんど一緒に家にいません。メモや黒板に用をかいて相手の眠っているあいだに家を出、帰ってくるときはいつも留守、それでも家庭なのです。夫が帰ってみると、季節の入れかえで、たんすの中は夏ものに、あるいは冬ものに、ちゃんと着るものが整理されていて、食事はあたためればいいように出来ており、今日のおもしろかった出来ごとなどちょっとはしり書きしたメモがテーブルの上においてあって、妻がいつもサイン代わりに書く、自分の似顔絵がある。帰宅予定時間はいつも、二時間ほどもおそく書いてあって、それは心づもりより早く帰って、夫を気持ちよくさせようと、サバをよむからです。

だからたまに二人の休日が合致するときなど、天にものぼるうれしさだそうです。

そのくせ、今日は何をしようかと言い言い、一日たってしまう。

せめて外へでも食べにいこうと思い立つが、結局は、ほかの人の間でもまれるより、家で食べようということになる。あわただしく食事がすむと、もう夫の夜勤に行く時刻だったりして、なんのための家庭かと人はいうけれども、毎日いそがしく張り合いがあり、ひとりで暮らすなんて、もう考えられない、という若い妻の話でした。ただ、子供ができたら、勤めもやめます、といっていました。

家庭というイメージには、夫、妻、子供、という存在で支えられているところがありますが、必ずしも絵にかいたように揃っているはずはありません。

私の友人に転勤の多い役人がいます。上の子供が中学へ通っているうちは、家族で移動していましたが、高校以後になると、家族は東京におちつくようになりました。友人はいまは名古屋ですが、単身赴任してときどき東京へ帰ります。高校生の男の子も中学生の娘も、父親の帰りをいつも待ちかねています。

月に一度、あるいは二度の逢瀬《おうせ》なので、父親に話したいことはいっぱい、あるそうです。

帰るときは駅まで送ってゆき、新幹線の窓に手を振ってくれるそうです。友人は、息子たちとはなれて、より理解できるようになったといっていました。毎日、顔を合わせる家族もあれば、ひと月に一度、二度、家庭の体裁《ていさい》を成す家族もあるし、さまざま、あってもよいのでしょう。

ただ、根本のところ、それも、夫と妻のあいだの愛と理解が基盤になっていると思われます。そうでなければ合宿所です。

私は仕事をもっていたので、結婚したのはずいぶんおそく、三十八歳のときでした。相手は町の小さな開業医で、これまたじつに係累の多い男で、私が結婚したときは両親に弟妹と叔母が一人ずつ、亡妻の遺児が四人という大家族でした。

双方で、この相手とは、とても結婚できないと思っていました。

いや、そういうことは、知りあったときから念頭にも浮かびませんでした。ただ、しゃべっているとダラダラといつまでもつづき、かくべつ面白いというのでもないくせに、いつまでも話題がつづいて、手持ちぶさたのときには恰好の話しあいてでした。それでよく電話で長話をしていましたが、何となくいつのまにか、結婚してもよい気になりました。原稿を伊丹の飛行場へ、航空便で届けるときなんかに、車で送ったりしてくれたから、結婚したらさぞ便利だろうと思ったのも一因です。

それに、私は、「饅頭《まんじゅう》こわい」かもしれませんが、男の人がいつも何か、こわくて、仕事のことで男性の編集者に逢うのさえ、気づまりでしかたがありませんでした。そのくせ、彼とははじめからあんまり、こわい感じもなく気づまりでもなかったので、結婚したら、もっと私がオトナになれるか、などと考えたりしたものです。

でも仕事をもってる私が、大家族の中へはいって家事を采配できるはずがなく、私も仕事をやめる気はなかったので、結婚にあたり、彼はもう一軒、家を買ってくれました。そして、そこで、週に一ぺんぐらい逢っていました。世帯《しょたい》道具や蒲団一式は買いこんでいたのですが、たべものや着るものをいくたびに持ちこみ、彼のほうも、子供たちを車に満載してやって来、その子供たちはそれぞれ手に勉強道具やオモチャを持ちこんでくるのです。

それから一晩どまりでその家で暮らして、日曜の夕方、みんなで家を出るのです。子供たちがまた手に手に、勉強道具やオモチャを抱いて、坂道を下りてゆくのは、おかしいような、物悲しいような風景でした。

その家は坂のてっぺんにあって、神戸に多い山手《やまて》の異人館なんですが、坂は石段で車が上れないのです。ですから、車は山の中途の空き地に駐《と》め、そこまでこまごましたものをみんなで運んでいきました。

〈ああ、しんど〉

と思わず私がいうと、彼も、

〈あほらしいこっちゃ。何を苦労して、こんなこと、せんならんのかしらん〉

と、ぶつぶついっていました。

それでも、また日曜が近づいたら、いくのです。そこでは、日曜一日、家庭ができました。家庭なんて同じところに固定するものではなくて、どこででも出来上がるものだと思いました。

けれども、私の好きだった一ばん下の小学二年生の娘が、絵を描きながら、せわしげにいつも私のそばに走ってきて、

〈ねえ、もうあと時間、どのくらい?〉

と聞くのにはまいりました。この子は帰る時間を気にしていると思うと、ジプシーみたいな移動はあんまり、よくないのかな、なんて考えました。オトナには、しんどいけ

れども無責任でたのしい生活でしたが、子供には不安定で、神経を遣う時間だったのでしょう。

　そのうち、彼が病気をして、長いこと私は知らないで暮らしていました。ちょうど忙しいときで、久しぶりに電話をしてみたら、寝こんでいる、というのです。大家族の家で寝るのも疲れるというので、また、山手の家へあがっていって、彼は二、三日寝こみ、私は仕事をもっていって看病していました。ときどき、子供たちがバスに乗って様子をみにやってきます。病気がよくなると、また二人で家のカギをしめ、山を下りて東と西に別れて帰りました。

　連絡はいつも電話でした。電話はケンカにならないし、便利でいいのですが、どうしてもロ先だけのツキアイで、へんな具合です。〈ではお元気で〉と切ってしまう。

たまたま彼の父が病気になって、もうだめだということで、これは電話で〈ではお大事に〉というわけにもいかず、彼の家へ看病にいっているうちに、亡くなりました。

　葬式を出す段になったときも、〈ではよろしく〉と帰るわけにはいきません、そのうち法事だ何だと人が集まり、そうなると私も、いないわけにいかなくなって、とうとう、いつのまにか仕事をもちこんで、大家族の中で暮らしてしまいました。

　そうなると、私は一家の面倒をいやでも見なければしかたなくなりました。家族のうち父が死に、弟が独立して家を出、叔母が帰郷したので、やや人数は減りましたが、やっぱり人間関係や、こまかいことでたいへんでした。

それらが、みんな主婦である私一人の肩にかかってきたように思えます。しかし、いろんな用事がみんな主婦の手許へ集まるような仕組みになっているのが、家庭なのです。

つまり、家庭というものは、どんな形でも保てるものではありますが、やっぱり女がいてこそのものなのです。

結婚というものは、男と女のもの。

家庭というものは、女がいるもの。三木のり平さんが奥さんを語るのに使った〈帰るといつもいます〉という一言《ひとこと》は、ほんとに家庭をいいあらわしたものだと思います。


（『続　言うたらなんやけど』一九七六年・筑摩書房）

〝あわれ人妻〟の世界……

人妻の双《さう》のたもとはみぢかしや　あはれ

という一行詩が、佐藤春夫にある。『嫁ぎゆく人に』と題し、美しい詞書《ことばが》きがあって、「筒井筒《つつゐづつ》をさなかりしころの友垣《ともがき》の女《め》の童《わらは》ははやく年たけて嫁ぎゆくこそ悲しくも甲斐なけれ」

私は、少女のころ、この詩をよんで、たんに思いつきだけの、奇警《きけい》な詩だと思っていたが、年とるにつれて、ふっとこの詩があたまに浮かんでくることがある。

そうして、詩人はやはり、人間の人生や生涯のエッセンスのようなものを感知する能力に恵まれているのだなあ、とつくづく思うようになっている。

尤《もっと》も今の若い人には、この詩の感じはつかめないかも分からない。それは当然で、いまは未婚のお嬢さんも、既婚のおくさんも、同じような風俗である。更に、結婚といってもさまざまで、ちょいと同棲しているのから、もう長らく別居していたり、それぞれ別の姓を名のっているものなど、じつに多様である。

そうして、今後、この多様化はますます進んでゆくように思われる。結婚の形態が多様化するから、風俗はますます、混沌としてくる。今日びは、四十代のミセスといっても、髪を長く垂らしてブルー・ジーンズをはいていて、それがまた、ぴたっと似合う人もあるし……。

ところが昔は、結婚するや、たちまち、既婚婦人独特のスタイルを強《し》いられた。社会の秩序がそれを要求した。私の少女時代、この詩のように、ほんとうに女は「おくさん」になるが早いか袂《たもと》を詰め、地味なものを着るのだった。そうして、白い割烹着《かっぽうぎ》を一日中、つけていた。

また、人との挨拶を、流麗に、毅然《きぜん》と、するようになるのだった。化粧も控えめになり、髪型も「奥さま風」になるのであった。

それらのうつりかわりを、佐藤春夫は、

「双のたもとはみぢかしや」

とひとことに象徴して歌っている。

昔の未婚の娘は、長い、たおやかなたもとを風にひるがえし、可憐な風情《ふぜい》だったから、よけい、切りおとされたたもとに、春夫は詩情を感じたのであろう。

「あはれ」

と春夫はいいすてた。

あわれ、という一語は、さまざまの感慨をひそめている。

結婚によって、女の一生は、色染められてゆく。抗しがたい運命の枠にはめられ、レールにのせられて押しやられてゆく。女たちの運命のトロッコのゆくてを見やって、春夫は「あはれ」といったにちがいなかった。そういえば、林芙美子にも『あわれ人妻』というタイトルの小説がある。

娘時代は夢もロマンもあった。しかし、人妻になったら、もはや、そういうものは縁遠くなる。心躍らすこと、愉快で息がつまりそうになること、あまりうれしくて夜もねむれないこと、そういう人生の愉悦《ゆえつ》は、無縁のものになってしまう。(事実、昔の人妻は、忍耐が着物を着たような存在であることが多かったろう)

泣こうにも、たもとがみじかいので、涙は飲みこまなければいけなかったろう。そうして、微笑《ほほえ》んでいなければいけなかったであろう。

それらを見透かして、春夫は「あはれ」といい、また、それらから醸し出される情趣に、ひかれたにちがいない。

しかし、現実には、現代の主婦に、こんなあわれはない。なくなってよかった！　と私は思うものだ。

現代の主婦は、小説にはなるが、詩にはならない。

いつか、佐藤愛子さんと対談していて、

〈ほんとに、女って、あわれはないわねえ〉

とふしぎがったことがあった。

よく男のうしろ姿にはあわれがあるというけれど、女のうしろ姿には、たくましさが感じられるだけである。

私は、こうなっただけでも、多大な進歩であると思っている。

友人の熊八中年に、

〈主婦を見て、「あわれ」を感ずることはありますか？〉

ときいたら、

〈あわれというのは、気の毒というか、見ちゃおれん、というか、悲惨、酸鼻《さんび》のきわみ、というか、そんなことですか？〉

〈イイエ。なんとなし、しっとりと男の同情や慕情をそそるような、消えも入るような風情といいますか、物のあわれのことですわ〉

〈それはありませんなあ。いずれを見ても強く逞《たくま》しく、こちらがたよりたい風情。消えも入りたい風情、というのはむしろ、男の方でしょうなあ。大木にまつわる蔦《つた》かずら、というのは、今日び、大木は女の方で、蔦かずらは男の方です。ひっひっひ〉

〈たとえば背中に赤ん坊を背負い、両手に双子の手を曳《ひ》いて、買い物にゆく主婦の姿、というのは……?〉

〈女の底力、というものに驚嘆するのみです〉

〈子供の入試につき添っておろおろしている女親というのは……?〉

〈我利我欲のすさまじさにあてられる思いで圧倒されます〉

というわけで、ついに、日本の主婦から、はかなげな、「もののあわれ」は払拭《ふっしょく》されたのである。

熊さん中年はしばしば考えて、

〈むしろ、小説や映画の中ではそういう情感をおぼえるのはありますなあ。昔、松本清《せい》張《ちょう》の小説に『張込み』というのがあって、映画にもなりましたが、この中に、田舎《いなか》の町に後妻にいった女が出てくる。女の昔の恋人はある事件により、いま犯人として追われる身、昔馴染《なじ》みの女に逢いにくるはずだというので、刑事たちが、この女を張っている。

女は後妻にいった先でも、あまり幸福ではないらしい。つましい勤め人の夫と先妻の子の世話をして、浮かぬ顔で、面白くもない生活を送っている。ある日、午後になって、雨が降る。女は傘をもって旦那を迎えにいくが、そのうちまた、雨がやむので、傘を抱えて、トボトボ帰っていく。――そういう女の姿には「あわれ」があったような気がしますな〉

〈なるほど〉

〈しかし、それらはみな、ツクリモノの世界、現実ではそんな、あわれげな女はいません。思わず、男が肩を抱きとうなるような女は居らん。残念ですなあ〉

といいつつ、熊さん中年は、ホッとしたような顔であった。男というものは、「肩を抱きたくなるような」女に出あったとき、自分がいい恰好しなければいけないので、何もかも自分でやらねばならず、「しんどい」ことを知っているからである。

あわれ、という陰影がなくなったのは、女にとって喜ばしいことで、私は女性史上、特筆すべきことだと思う。

しかし、問題は、「浮かぬ顔」である。

これは、今の主婦もそんなのが多い。せっかく、「あわれ」というカビやアカを洗い落としたのに、それで浮き浮きして、いまこそ天下取った、という顔で暮らしているかというと、そうではない。

むつかしい顔をしている人も多い。

もっとも、女にも内づらと外づらのちがう人がいて、外では愛嬌《あいきょう》よく朗《ほが》らかで、職場の人にも好かれている人が、家庭に戻ると何か生彩を欠き、ものの あわれを肩ににじませていたりする。

子供とはとても仲がいいのだけれど、ご主人とはもう何年も口を利《き》いていない、というひともある。

〈口を利かないでいると、不便でしょう?〉

と心配する人があるが、彼女はすまして、

〈いえ、高校生の子供が仲に入ってメッセンジャーになってくれてますから、べつに不便はないわよ〉

などといい、ご主人はもっぱら二階にこもりきり、テレビも二階にあり、食事も二階へはこぶ。なぜ離婚しないのかというと、子供のためなのだそうだ。

それで、家の中にはどこか不可解な空気がよどんでいて、へんな感じであるが、本人にしてみると、ずうっとそんな生活なのでもう馴れてしまったそうである。

夫と何年も口を利かない、などという生活は、私などから見ると地獄の生活で、何をたのしみに生きているかと思えるが、

〈あら、そりゃ、楽しみはいろいろあるわよ、子供のこととか、自分の習ってることとか、友達づきあいとか……〉

それはそうにちがいない。人間にとって、こうでなくてはならぬ、ということは何もなく、どんなところにも楽しみというのは見つけられるものである。

かまわないようなものだが、ただ私は、そばから無責任な他人の感想をいうと、この人のご主人が気の毒である。私がこの人の夫なら、口を利いてくれぬ妻に、何の用があ

ろうか。離婚してしまって、もっと仲よくできそうな、新しい妻を探しにいくであろう。子供と仲のよいのも結構だが、いつかは、一人前の男や女として、配偶者を求めて去ってしまう。そうなってからもまだ先は長いのだ。二十年は生きることになる。そのときに口も利かずに過ごしてきた夫婦は、どんな顔を見せ合うのであろう？　お気の毒なことです。

そうかと思うと、外では、人づきあいはあまりよくなくて、外へ出るのがきらいな女のひとの、家庭を訪問すると、全然、人ちがいかと思うようにイキイキしている奥さんがいる。

奥さんは、よくせき、家庭が好きなのであるらしい。夫と子供の世話をするのが好き、家事が好き、家の中でコマゴマと働いているのが好き、という人なのであるらしい。

それで以《もっ》て、彼女は、私のように自分の仕事をもっている女の生活を、とても知りたがる。どんなモノをたべてるの？　からはじまって、服は何着もってるの？　宝石なんかいくらでも買えるでしょうね？　小説というのは、どうやってできるもんなの？　本というのは、誰がどうして作ってくれるの？　一冊の本が売れたら、作者はいくらもうかるの？　取材というのは、どんなふうにするの？　男の人とおそくまでお酒飲むことあるの？　そんなとき旦那サンは怒らないの？　主婦業と仕事は両立するの？

彼女の好奇心というのは、とどまるところを知らないのである。

しかし私が彼女を好きなのは、私の生活を知って、いろいろ感心したり、たいへんだなあ、などといったり、いいわねえ、といったりしながらも、決して、取って代わりたいというほどの羨望《せんぼう》は感じていないのである。また、自分は、家の中でクルクルしているのが適しており、外で働くには適していない、とかたく信じこんでるのである。

奥さんの家の中の片づけ方や、お料理には、いそいそした弾みが感じられた。彼女の家庭は、彼女の芸術作品なのであり、彼女と旦那さんとの仲のよさも、創作の一つなのであった。

そういう奥さんには、もののあわれ、なんてかげりは全然感じられなかった。

それに、いつも、うきうきという顔で、またそういうおくさんは、とても美しく見えるのだった。

私はそういう、おくさんが好きである。

昔の人妻が、「もののあわれ」の影を曳いていたのは、夫とうまくいってないせいではなかったか、なんて、私は、その奥さんを見て思う。

女というものは、どんなに生活が苦しくても、境遇が複雑で苦労が多くても、夫と意志が通い合っていると、凌《しの》げるものだ、というのは、私のロマンチックな持論である。

そんな、甘いものとちがいますよ、といわれるかもしれないけれど、そうですか？

私は、もはや、この年になると、断定、ということができない。

こうだから、こうです、と断定するのは、どんな心の強い人でもできるはずない。また、こうだから、こうしなければならぬ、と説教することもできない。

断定する人、説教する人、じーっと、ようく見てみると、ほんとうに幸福じゃないみたい。

本当に幸福な人は、他人のことにかまうひまなんか、ないからである。そうして、それは、中ぐらいに幸福な人が、断定したり、説教したりしている。そうして、それは、中ぐらいの幸福を、最高の幸福と信じているからかもしれない。

それはともかく、私は、人さまから見て、「もののあわれ」などが感じられる女房なんかになりたくない。とりあえず、旦那ののろけばっかり言いちらして、同性異性の友人たちから、〈おせいさんも、あれがなければ、いい女なんだけどねえ〉とそしられたり、爪はじきされたりする、そういう女に、私はなりたい。

せっかくこの世に生まれてきて、タッタ一人の男しか、専属にできない（いや、べつに数人でもいいけれど、まとめて面倒みる時間がない）、そうきまっているものならば、その男と仲よく、毎日楽しく「愉快で息が詰まりそうな」生活を送らねばソンではないか。

死ぬまでベタベタして、周囲はあてられっ放しで腹が立つ、というような仲にならなければウソではないか。子供も仕事も金も名誉も物質も、ついに人間の手に最後にのこるものにはならない。

いや、そんな気がする。

最後にのこるのは、女にとっては仲のいい男（夫とは限らない。夫・妻は無意味である）である。

私がそういうと熊さんはじっと考え、

〈うーむ。しかし女がそうやって天下晴れてうきうきすると、男の方は、うしろ姿に、物のあわれがにじんでくるようですなあ。もしや、おせいさんの旦那もソロソロそんなふうになってませんか？〉

といった。

（『男はころり女はごろり』一九七七年・青春出版社）

夫は男ではない……

私はいつも考えるのだが、男と夫は別ものではなかろうか。

夫は男ではない気がする。男の一部ではあるが、男そのものではない。なぜなら、内側からみた男は、もう、男ではないのである。

いい男、やりての男、腕っこきの男も、夫となり、妻からみると、夫としての価値だけしか問われない。

英雄も豪傑も、女房からみると、タダのオッサンである。対社会的に、どんなに偉大な仕事をしても、それは家の中で女房に向かっては、何の関係もない。

ナポレオンの妻だって、太閤《たいこう》さんの女房だって、彼女たちから夫をみると、

（ふん！）

というようなところがあったのではなかろうか。たとえばナポレオンは、戦時だろうと平時だろうと、いつもセカセカと食事をする。

〈ああいそがしい、いそがしい〉

を連発する。

ジョゼフィーヌは（ふん！）と思う。

〈そんなにセカセカするから、胃弱になるのよ！　もっとゆっくりしたらどう！〉

ナポレオンにはすることがいっぱいあるのだ、何しろ登り坂の英雄というのは、体がいくらあっても足らないいくらいいそがしい。しかるに妻は、そんなこと知らん、もっと大事なことであたまは占められる。ナポレオンに向かって、

〈あなたッ、トイレのスリッパをちゃんと脱いでください。歯ミガキのチューブの蓋《ふた》をしめ忘れないで！　そのシャツ何日着てるの！〉

などとどならずにおられぬ。それでこそ妻である。家を守る妻は、そういうことが一ばん大切なのだ。

夫が三軍を叱咤《しった》してるのを見たって妻は一向おどろかない。夫の寝言、歯ぎしり、イビキ、放屁《ほうひ》――トイレから前のボタンをはめはめ、走って出てくるのを見たりしてるから、どんな英雄豪傑も、どこがえらいのか、さっぱりわからんというところがある。

太閤さんは、羽柴秀吉といった若年の頃から戦場を馳駆《ちく》し、ろくに家に居らぬ。たまに帰ってくると、フリカケ海苔《のり》でお茶漬けをたべ、これが無類の好物、

（育ちがわるいッてのはしょうがないわね）
と妻の寧々《ねね》は思う。秀吉はヨロイをとくひまももどかしく猫なで声で、日が高いのに寝床へころげこみ、
〈おい、お寧々や、寧々ちゃんや〉
と呼ぶ、お寧々だっていそがしいのだ。それに姑《しゅうとめ》だっているし、使用人もうろうろしている昼日中、いい気になっていられない。しかるに秀吉はしまいに、
〈おいおい、ワシはあと半ときもしたら、また出ていかんならんねん、たのむわ〉
などと情けない声で哀願し、セカセカと障子や襖《ふすま》をしめてまわり、
〈ちょっと明るいな〉
などと、ひとりごちつつ、更に屏風《びょうぶ》や衝立《ついたて》をたて回したりして、性こりもなく寝床から、
〈オイ、オイ〉
と呼びたてる。男はそのあとすぐ出陣するからいいようなものの、女はどうしてくれるのだ、うるさい姑ばばや、好奇心満々の使用人にどんな眼で見られるかわからない。ホトホト、お寧々は、夫に手を焼いたであろう。
そういう一面ばかり見ているから、あほらしくて、英雄偉人の妻ほど、
〈へえ。ウチのがそうですか？　あれで？　ヘエ……〉

というところがあるのであろう。

そして秀吉が馬にうちまたがり、

〈しゅっぱーつ〉(何だか『ローハイド』みたいだが)と叫んで采配を振り、ヨロイ物《もの》の具《ぐ》が金色さんぜんと輝き、全軍、粛々《しゅくしゅく》と進む。城下の人々が喚声をあげてバンザイ!　と叫び、

〈やっぱり、羽柴さまはえらいご威勢や〉

とどよめいても、天守閣から見ているお寧々は、あほらしくてならぬのである。

(何を威ばってんのさ、あわてふためいて、ヤイノヤイノというわりに、あっという間《ま》じゃないの)

などと思う。世間の人がいかに秀吉を賛嘆していても、誰かヨソの人をほめてるとしか、思えないのである。

これが、結婚の本質ではないか?

結婚とは、男をタダの夫にし、女をタダの妻にしてしまう。

そこには、日常の卑近性があるだけで、決して、おたがいを高くしていかない。互いに低みへひきずりおろすところがある。だからこそ、面白いのだが、妻と女はともかく、夫と男はますます乖離《かいり》してゆく。

妻には、夫と男をかさねて見ることはできないのである。

男として彼がいかに辣腕《らつわん》をふるい、天下を掌握《しょうあく》する総理大臣になろうとも、妻からみると夫である以上、読んだ新聞は散らかし放題、テレビをつけっ放しにして寝る悪癖、寝床でタバコを吸う悪癖ばかり目につく、タダのオッサンである。

それゆえにこそ、私は、結婚の卑近性というものが好きだ。男を夫におとしめ、英雄偉人をタダのオッサンにしてしまう結婚は、私にはすばらしいものと思えるのだ。

しかるに近年、男と夫がくっついて、世の奥さまがたは充分、夫の社会的位置や声価を認識し、それにふさわしい取り扱いをしていられるようである。

夫婦単位で行動する機会が多くなったからだ。

与太郎青年も、会社の創立記念日の運動会、正月の年始訪問、みな夫婦同伴だといっている。

だから、夫と男がくっついてしまった。それも、いいふうにくっつくといいのだが、わるくくっついてしまう。男の部分が消えて、夫ばかりになってしまった。

会社でうろうろしているのは、男ではなく夫なのである。家の中だけでなく、いまや会社の中まで、パジャマ姿の夫が、うろちょろしているのである。

妻たちは、男の領分である会社内の社交の場へ出入りするようになってから、家庭を延長したものと会社を見、

〈いいですか、課長さんへはこういうふうに、部長さんにはこういったほうがいいわよ〉

と挨拶の仕方までおしえ、歯ミガキチューブの蓋をしめるのも、会社の仕事も、同じようにたしなめ、指図する。

そういう妻たちがふえた。

〈それはしかし、世代によってちがうのんとちゃうか〉

と、熊さん中年はいう。

〈ワシらの世代はまだ、女房《よめはん》は、それほど会社の中へ出てこん、飲み屋や麻雀屋までくっついてくることはない。男の道楽をぼやくけれども、一緒にやろうというほど、破廉恥やおまへん〉

与太郎青年はどうかというと、

〈いや、ぼくはちょくちょく一緒に女房と飲みます。外で待ち合わせしてバーへいったりします〉

〈同僚《なかま》、何ともいわへんのか?〉

〈同僚《なかま》も女房《よめはん》といってます〉

〈ウーム〉

と私と熊八さんは顔見合わせ、私も四十のゾロ目女なれば、与太郎よりは、熊さんと話が合う。

〈ほんなら、一日じゅう、女房《よめはん》と顔合わしとんのか〉

〈いや、そら、ふつうの日はぼく会社へいってますから……。休日はまァ一日一緒です〉

〈そんなんやったら、ケンカもできませんね。もしケンカになったらどうしますか？〉

と私。

〈僕からあやまります。女房《よめはん》にムッとしてられたら会社へいっても気色《きしょく》わるい〉

熊さん中年は、ケンカしたらどうするのだろうか？

〈オナニーしまんなあ〉

つまり、この中年世代はケンカしても男からは折れられない。それよりは、……ということらしい。

　男と夫が一緒になってるというと、さしずめ源頼朝の妻の政子なんかであろう。朝、目がさめて頼朝が寝返りうち、ゆうべの夢のつづきで、やさしい気分が残って揺曳《ようえい》しているままに、腕をのべて政子をかきいだこうとすると、政子は地図をひろげていたりして、

〈ハハン、……すると、こっちから攻めるとテキは逃げ道がなくてお手上げとなるわけね。ウチはどのくらい兵力をうごかせるかしら？〉

などと、エンピツで地図にシルシをつけたりし、あるいはマジックで丸をかこみ、
〈ねえ、頼朝、あたし考えたんだけど、テキの息の根を止めるには……〉
などと講義をはじめたりする。
こうなると頼朝も寝ていられない。のびたヒゲを、エイッと抜きながら、政子の作戦をつつしんでうけたまわる。
たまに、
〈しかしそれは……〉
と口を入れると、
〈何ですって？〉
とキッとされる上に、たいがい政子のいうほうに理があり、頼朝より打つ手が垢《あか》ぬけてる。で、頼朝は、参謀本部の作戦会議で、政子の案を自分のそれの如くしゃべって、一同、さすがはおん大将と、
〈ハハーッ〉
と聞く。頼朝はそれをまた政子に報告し、政子は寝室で、ふとんを敷きながら、或いは枕許に灰皿とマッチと水差しとスタンドをそろえながら、聞いたりする。
そういう、ミソもクソも一緒になったような夫婦がたまにあるが、頼朝、政子のカップルは幸い、頼朝が、しんは強い男なので、あんがい政子に負けず、彼女の目をかすめ

て行動したりするところがあるから、いいのだ。

たいがいの男は、政子型の女房をもつと、すっかり巻かれて男として生きられない、夫としての人生しか、なくなるのである。

男は、妻からみると、タダのオッサンにすぎぬ、というような結婚でこそ、男として生きられるのではないか。

そして女もまた、男の世界は知らん、何しろ、家にいるときはもうゴロゴロしてしょうのない、タダのオッサンなんですよ、というほうがまことに女として生きやすい、目安い人生であるように思われる。

〈中年てのはへんなこと考えますね、だって現代では文化勲章もらう式かて、夫婦同伴でっせ。女房《よめはん》ヌキにして、今や人生いうのはないのんちゃいますか〉

と与太郎青年がいうのに対して、

〈いや、それと話はちがうねん〉

といったとて、与太郎には通ぜず……。

でも私はやはり、結婚には夫しか要《い》らないのだ。

夫としてイイ人間であれば、それが私には結婚の幸福だと思えるのだ。

〈しかしこの頃の女房《よめはん》というもの、夫は家庭でもち、外へ出ては男をつかまえるという、両手に花、いうのがふえました、怖いこっちゃ〉

と熊八中年は嘆いた。

（『男はころり女はごろり』一九七七年・青春出版社）

継母《ままはは》ってなに？

離婚がふえているという。

離婚がふえれば、再婚という場合も多いだろう。継母《ままはは》・継子《ままこ》という関係が世の中にはふえているのではなかろうか。

現代では夫婦・結婚の問題、男女問題についてはずいぶん先進的な論議がつくされて、啓蒙家も多いし、開明的な見識をもつ人も、ごくふつうの人々の中に多くなった。ススンできたというか、翔《と》んでるというのか、一般の女性の認識自体が、(昔から考えると)信じられぬような変革をとげている。

その変革のスピードは、おそろしく速い。

しかし、男女・夫婦の問題だけ先へすすみすぎて、親子の問題はずいぶんおくれているんじゃないか、というのが私の実感である。

実の親子関係でもそうなのだから、まして古風にいうと「生《な》さぬ仲」についての考察はほとんどなされていない。たまにそういう関係についての助言や示唆《しさ》を与えた文章を見るが、いかにもそれは紙の上の空論という感じである。私の読んだ限りでは、それらの筆者が男性だったからでしょう。

男性も継父になる場合があるが、継父と継母とでは根本的にちがう。そのへんの認識が全く未熟なので、ややもすると、男性的な価値観から、

「継母のあるべき姿」

を説くことになり、それがそのまま世間のプレッシャーとなって、継母や継子を苦しめることになってしまう。継母や継子にとって、これほど不幸なことはない。

子供は真実の父母によって育てられるのが最も自然で幸福ではあるが、それも、必ずしもそうだともいいきれぬ場合が多い。いさかいの絶えぬ実の両親の間に揉《も》まれているよりは、どちらかと義理の仲でも、仲よい両親のもとで調和と安定がもたらされるほうが子供には幸せかもしれない。

子供のために離婚しないでいます、という妻や夫（なぜか、妻の方がずっと多い）がいるが、それが子供に幸福だったかどうかは、何十年もたってみないと分からない。

私は、人間の社会が進歩すればするほど、離婚が多くなるのは当然だと思う。女が自立するようになったとき、結婚制度はもっと柔軟なものになっているはずだから、極端にいうと結婚の数だけ、離婚の数がある、というふうになっても怪しむに足らない。し

かしその波をモロにかぶるのは子供で、だからといって、誰も、結婚のはじめに離婚を想定して子供をつくるのを見合わせようか、という人はいないから、夫なり妻なりに引き取られた子供は、さまざまな試練に遭うことになる。

それでも人生には、あえて別れないといけない場合がある。二人でいて一人が死んだ気で生きているよりは、二人が別れて二人とも生き直した方がいい。子供のためにがまんして、という妻の言い分を聞くたび、私は、妻もかわいそうだが、そういわれる夫もまた、かわいそうだと思うのだ。

夫はいったい、「子供のために」とひたすら耐えている妻の苦しさにも気付かぬほど、鈍感なのであろうか？　粗放なのであろうか？　そんなに妻にがまんされて、

（いったい、夫は幸福なのであろうか？）

と私は疑わざるを得ない。

こちらがいくら愛していても、向こうがひたすら耐え、がまんして暮らしていると思うのは、私なら耐えられない。

しかし人生の波のうねりは、さかしらな人間があたまの中で考えているよりはるかに大きく深く、どんなに「がまんならない」夫婦でも、ひとときふと心が通い合ったり、あるいは双方で重宝がったり利用しあったり、利害一致して外敵に当たったり、という場合もあるので、妻たちが口でいうほど辛《つら》くないのかもしれない。

本当に、人生の根底から存在をくつがえされるほどの苦しみに遭遇すれば、別れてしまう。私は〈別れたいけど子供のためにがまんしている〉という知人の主婦たちの言葉をきくたび、この人は、ほんとうは別れたくないのだ、と心の中で考えたりする。

それはともかく、実際に離婚する、あるいは死別するというとき、再婚して「生さぬ仲」の父なり母なりが、子供とつきあう、このことの意味をもっとオトナたちは考えるべきだと思う。

現代ではやっと、真実の親が、

「親学」「親業」

というものについて学びはじめた時点である。まして、

「義理の親学」「義理の親業」

までは手がまわらないのが実情だろう。

しかし、そういう間も、どんどんと、離婚はふえ、子づれの再婚がふえ、即席の親子が何組みもふえてゆく。現実の方が議論や認識をどんどんこえてゆく。実際にそういう体験をした人が活潑に発言して、「継母・継子」の関係について、従来の固陋《ころう》な偏見や迷妄《めいもう》を、片端から打ち破って下さればいいと思う。

そして、これからもふえつづけるにちがいない、義理の親子で構成する家族たちに、いい意味での、刺戟《しげき》と活力を与えて下さればいい、と思う。

私はさきに、「継父と継母とでは根本的にちがう」と書いたが、もともと父親というのは子供に対して、分身意識というのは薄いのではなかろうか。

母親はちがう。「これこそわが骨の骨、わが肉の肉なれ」という一体感を子供にもつものなのだろう。骨肉の愛で結ばれるべき母と子が、その絆《きずな》を全く持たずに向きあったときの深刻さは、男たちの想像以上である。人類は昔から、その深淵におののいて「継母の継子いじめ」物語を、語りつづけてきたのにちがいない。物の本によると、シンデレラ物語のような昔話の図式は、西洋にも東洋にもあって、継子物語は、心理学的に成人式ならぬ成女式の通過儀礼だという。受難、試練、そして成功（成長）の象徴としての継子虐待があり、いわば継母は子供が社会に自立してゆくための仮想敵なのだという。人々は深層意識として、受難・試練・成功のかたちを希求し、「継母の継子いじめ」物語を喜び、そのたぐいの昔話が世界に流布《るふ》したというものである。

そう説明されれば、継母の物語が世界中にあるのはわかるような気もするが、しかしわれわれ女が考えてみて、それだけに盛りきれない、根深いものがもっとずっと深くにある気がする。

骨肉愛というものもあるだろうけれども、母性愛はそれとはべつのものである。そのへんの女性心理、母親心理はまだ未知の領分である。

私が結婚したとき夫には四人の子供がいて、下は小学二年の女の子であった。その上が年子《としご》で三年生の女の子、その上が五年の男子と中一の男子であったと思う。

小学生の女の子たちは、まだいたいけな、という感じで、何でも私のいいなりだった。悪気《わるぎ》の全くない、すれない子供たちで、私は可愛くてならず、買い物に連れ歩き、散髪にもつれてゆき、毎晩、二人の娘といっしょに風呂に入り、PTAにゆき、運動会にお弁当をつくって見にゆき、写真をとり、そのころはどこへいっても子供服や子供のものばかり目について、せっせと買いこんでは着せかえ人形のように着せて喜んでいた。三人で風呂へはいると、ぺちゃくちゃとおしゃべりして長いので、男たちのヒンシュクを買う。仕事をしていても私は、とくに末娘の子供らしいかん高い声が可愛くて、天使のような声だと、しんそこ思って、その声を聞く幸福を感じた。

しかしそれは、彼女らが起きている間だけで、眠っているときの寝顔まで可愛くてしみじみ見る、というものではなかった。寝室を見回ってやるのは、私の日課の仕事の一つで、蒲団《ふとん》をはねてないか、とか、寝巻きにちゃんと着替えたかどうか、とか、いうなら寄宿舎の舎監の見回りであったのだ。実の親が、寝顔すらいとしくて、じっと見入る、というそういうふしぎな愛情はおぼえなかった。

眠っているときの子供たちは全く、

(ヨソの子)

という感じであったのだ。もっと小さい乳幼児のころから育てれば、また別の感懐《かんかい》があるかもしれないが、ころころところがってよく眠っている少女たちは、私には全く、他人の顔をして見えた。

それがいったんめざめ、やかましく囀《さえず》り交わし、給食ナプキンがどうの、お掃除当番がどうの、連絡メモだとか、靴下が宿題が、と叫んでいると、とたんに私には「可愛い、とびきり可愛い声の天使」になるのだった。彼女らが意志をもち、自我を示して、子供らしい活潑さで階段をとび下りたり、〈お兄ちゃんがアタシのパンを奪《と》った――〉などと泣き出したりしていると、人間の面白みというのか、子供本来の愛らしさがあらわに出てきて、それは私の母性的共感や愛を刺戟するのだった。私は彼女らを抱きしめたく思った。

眠っていると、それらもろもろの、あとから生まれてきた、彼女らを掩《おお》うサビのようなものがすっかり落ち、本然《ほんねん》の存在として彼女らの寝顔がある。本然のむきだしになってしまった子供は、私には興味ないのであった。私はそれを発見して、そこが実の母親とちがうところだなあ、と思った。

子供だから可愛いのではなくて、可愛らしさを示したとき子供になるのだった。極端にいうと眠っている子供たちは、私にとっては（どこの馬の骨だろう）という気持ちさえ抱かされるのだが、眠り姫がめざめたときのように、彼女らがぱっちりと目をさましたとき、私には可愛くなるのだった。血の絆と母性愛の相関関係はふしぎなもので、はかりしれない部分が多い。

『源氏物語』も見方を変えれば一種の継母・継子物語である。紫《むらさき》の上《うえ》は明石《あかし》の上《うえ》の産んだ姫君を育てあげる。源氏はそれについて、ちゃんと客観的な評価を与えられる男で（そのへんも源氏の人間認識の深さを思わせ、魅力的な男性像に仕立てられている点であるが）、成長した姫君に対し、義理の母の紫の上の、

「御《おん》心ばへをおろかに思《おぼ》しなすな」（「若菜《わかな》上」の巻）

と訓戒する。そうして、それにはじまる継母・継子論は、むしろ源氏の感懐、というよりそれをのりこえ、作者紫式部の見識を披瀝《ひれき》している。「〈実の親子兄弟、夫婦の仲のむつまじさよりも、赤の他人の、ほんの少しの情けや、好意のあるひとことのほうが、はるかに貴重なことなのです〉」という。

入内《じゅだい》した姫君には、実の母の明石の上が後見役《こうけんやく》としてついているが、紫の上は、実母が付き添ってのちも、昔からの愛情を変えずに「深くねむごろに思《おも》ひ聞《きこ》えたるを」——義理の娘に心からの愛をそそいでいるのを、よくよく心して考えなさいよと、源氏は姫君にさとす。

「世間には小ざかしい人がいて〈継母というものはうわべは可愛がっているようでも、内心はわからない〉などと小利口にいったりするが、こんな心からはうちとけた愛は生

まれない。意地わるな継母に対しても、子供の方から裏おもてなくなついてゆけば、自然と継母も、こんないい子に意地わるはできないと、思い直すものですよ。前世の仇《きゅう》敵《てき》とでもいうのなら別、そうでない限りは、少々のいきちがいがあっても、おのずと仲よくできるものです。どちらにも特に欠点がなかったならば、ね。――ただし、どちらかがとびきり無愛想で、棘《とげ》のある人柄で、何かにつけて難癖をつけるというような厄介な性格なら、仲よくすることはむつかしいだろうけれど。私もそうたくさんの経験でもないが、今まで人を見てきて、それぞれの個性で長所があるものだと思うようになった。取り柄の全くない、という人間はないものだ」

紫式部は、当時流布愛好された継子いじめ物語（たとえば『落窪《おちくぼ》物語』など）についても一家言《いっかげん》もっていたらしく、姫君の教育について「継母の腹ぎたなき」物語は、しりぞけた、と書いている。

紫式部は千年前に継母子の関係について、リアルで醒《さ》めた、それでいて温かい目をそそいでいる。式部は現実主義者であるから、生さぬ仲の親子、という関係に幻影を抱いていない。義理の仲でも実の親子と等質の愛が生まれるとは見くびっていない。だから、肉親の愛よりも、赤の他人のほんの少しのなさけや好意の方がずっと貴重なのだと認識している。

またもう一つ、ここも大事な発言だが、たとえ考え方がちがっても、どちらもとびぬけて依怙地《いこじ》や偏屈というのでないかぎり、何とかうまくいく、と考えている。

継母子の関係は、それこそ百組みあれば百個のかたちがあるが、紫式部は、大本《おおもと》の考え方を、まず千年前に示してくれたということができよう。


骨肉の愛よりも、赤の他人の好意は、ほんとはたいへんなことなのだ、という認識は、私はまず、夫の側、父の側が、継母に対してもたねばならないと思う。子連れで再婚する夫は、妻と子供の関係について、やくたいもない幻影をまず捨て去った方がいいのではなかろうか。どんな女をもってきても、去った母、死んだ母の代用にはならないのだし、ひとりよがりな夢を押しつけることは、妻にも子供にも不幸であろう。

ふつうの家庭では、夫は母と子からはじきとばされても、何とか恰好がつくが、継母子で構成する家庭では、夫は重要な役割を担《にな》う。夫、父はヤジロベエの中心に位置してバランスをとらなくてはならない。その場合、夫は、子供のため、というより自分の幸福のために結婚する、というようであればいいのだけれども、日本の男たちがそこまでススンでいるかどうか。というより、生さぬ仲の子供や親までいる男と、一緒になろうという気を女におこさせるほど、日本の男が魅力的であるかどうか——。

しかし、離婚がふえ、片親の子がふえるとすれば、今後、いよいよ日本のオトナの男なり、女なりが魅力的になっていってもらわないと困るわけである。

それから、継母・継子、どちらかがよほどやりにくい性格でなければ、何とかうまくいく、という示唆についてであるが、現代では人間関係も複雑になっているし、特に思春期の若者はむつかしくなっている。

継母がどんなに心をつくしても、折り合えない部分が多いと思う。ある範囲を超えたら、それは神様の領域と思って、あきらめなければしかたのないことがある。

（私のまごころで、きっと……）

という意気込みをもつ継母も多いが、そういう力の入れ方はしばしば見当はずれな徒労に終わることが多く、かえって逆効果を招いたりする。だいたいそういう力瘤《ちからこぶ》は不自然なことが多いから、（私はこんなに心こめてやっているのに）という不満を招く。実の母子でも「私はこんなに」というのが、親子の仲を断絶させるもとであるが、継母子の仲では侮蔑《ぶべつ》と冷笑を生むだけである。

こじれそうだと思ったら、自分のプライドと自我を守るためにも、一歩、退《しりぞ》いた方がいい。人間わざでは及ばない場合もある、と思わないとやっていけない。初心だけ忘れないでいればいいのではないかしら。

どんな人も、はじめ、「生さぬ仲」の子と生活をはじめようというときは、抱負も愛情もあるはずである。「かどかどしく癖をつけ、愛敬《あいぎやう》なく、人をもて離るる心」と『源氏物語』にいう、そんな、かたくなな偏屈で無愛想な人でないかぎり、女はみんな愛の幻影を抱き、母性愛を抱いて、「ヨソの子」とはじめて相見《あいみ》る。期待や不安、危惧《きぐ》の小石を沈ませながら、母性愛は満々と湛《たた》えられている。

それが、うまく相手にそそぎつくされなかった、といっても、それは運命的なものが半分がたあり、人力《じんりょく》の及ぶところではない。ただ、はじめてその子を見たときの心持ちをいつも思い出すことができたら……自分たちがどこにいるか位置測定することができたら……ついおぼれやすい混乱に、足をとられることがなくなるだろう。

それに、子供たちは変わってゆく。悪《あ》しくも良くも、何度も変わる。手のつけられぬ状態の子供でも、何年か経《た》つと変わっていく。耐えるのもこれで限界、と思っているのが、次第に変わって、またもういっぺん変わる、という風に子供には脱皮する節目《ふしめ》がいくつもある。決して、いまの状態が固定的ではないのであって、

（いつかは変わる、いつかは変わる）

と、心の中で、呪文《じゅもん》のように唱えていて頂きたい。

それから、継《まま》しい母と子の、数少ない接点、絆の一つに、食べものがある。夫をつなぐのも料理なら、それ以上に、継母子をつなぐのは食べものである。継母はお料理上手であってほしい。何時間もかけた高級料理よりも、子供たちがおなかをすかせたとき、魔法のように出てくるお握りや巻きずしのほうがいい。ちょっとしたおやつのクッキーが、不幸な子と母の心をむすびつけたりする。

すべてこれらは、私がかずかず失敗を重ねてきて思いついたことどもである。いま、継子を育てて人知れず悲しい思いをしている若い母たちも多いと思う。その人たちにもっと発言してほしい。でないと、いつまでも「女の業《ごう》」的なうさんくさい位置に継母は押しやられ、ついには当事者自身、おどろおどろしい沈黙の側に身をおいて、「地獄を見た人は地獄について語ることをしない」という様相を呈してしまう。それは新しい不幸をふやしこそすれ、決して解決にはならない。

（『死なないで』一九八五年・筑摩書房。初出は「暮しの手帖」70号・一九八一年一、二月）

女の子の育てかたは？

今までに私は、子育てについて何か意見を求められると、

〈私はその任ではありませんから〉

とおことわりしてきた。私自身、子供を持ったことはないし、夫の子供の成長は見たけれど、これは半加工の製品をあずかったわけで、途中からの工程に立ち会ったのでは、どうも、もう一つ、よくわからない点が多いから。

しかし今回は二つの理由から、書いてみたいと思う。

その一つは、子育て論はたいてい、実地に即してあげつらわれることが多い。つまり経験したチエとかヒントをもとにのべられるもの、読まれた親御さんたちがすぐにも教育やしつけに役立つと思われる実際的知識が多いようである。

しかし、自身、子供を持たない人間の子育て論は、理想論としてやはり存在価値があるのではなかろうかと思うのだ。理想論と実際的知識と、双方あったほうがいいように

思われる。それでいえば夫婦論、家庭論も、独身者の唱える理想論をききたいものである。

自分で経験したことだけを唯一絶対と信じている人に、

〈これ、この私のやりかたをみよ〉

といわれるのは、いちばん臭くてやりきれない。そうして世の「子育て論」にはそのたぐいのものが多い。たまたま、うまくいっていい子に育っていても、それは親が自慢することとちがう。ましてや、自分の家の教育法や子育て理念は、誇って人に押しつけることではない。

いい子に育ったのはマグレが半分である。たまたま、いい子にめぐりあったのであって、それは当たりはずれの問題である。見よ、ぐうたらで箸《はし》にも棒にもかからぬ男に、勤勉な息子ができ上がったり、傲慢《ごうまん》で鼻もちならぬいやみな男に、人のいい素直な子供がいたりする。

私は今まで世の中を見て来て、

（子供というのは、育てるのではない、当たるのだ）

とつくづく思うようになった。先へいけばまた、気は変わるかもしれないが、少なくともいまは、「子供は授かりもの」ではなく「子供は当てもの」と思っている。

昔、私が子供のころ、駄菓子屋に「当テモン」というのがあった。小さい紙のクジで、ベリッとはがすと、「アタリ」は赤いサクラの判コを押してあり、ハズレは何も書いていない。「アタリ」はベロとよぶ、黄粉《きなこ》をまぶしたわらび餅のようなものであったり、セルロイドの飾り櫛《ぐし》、あるいはべったん、玩具《おもちゃ》の勲章や刀であった。アタリにも一等と二等と、クラスがあるのだった。

あんなふうに、子供も当たりはずれがあるのだから、親の手柄にも自慢にもなりはしない。子供が東大へ入った、いいところへ就職した、いいウチへお嫁にいった、と自慢する親は、「当テモン」で一等が当たり、玩具のサーベルをみせびらかして得々としている子供とかわりはない。

その人の人生は、まさに、その地点からはじまるので、本当は、それから何をして死ぬか、が大切である。

当たりはずれからいえば、本当の子育て論は、はずれた人の話を聞きたいものだ。

しかし、何を指してはずれた、というのか？　いま非行の少年少女だって、将来はどうなるかわからないし、市民社会に相容《あいい》れない人生をえらんだとしても、それを「ハズレ」と一口にいえるかどうか。国民の代表としてバッジをつけ、いい服を着てかしこそうなことをいいながら、利権や金を漁《あさ》るのに汲々《きゅうきゅう》としている人間、金をもうけるためには武器も売るし、戦争の謀略で夜も日もないという人種、そういう手合いは、人類にとって「ハズレ」ではないのであろうか。

子供が父母ののぞむような仕事につかず、期待するような結婚をしなかったからといって、「ハズレ」と呼べようか。両親はちゃんとした結婚式をあげることを思い描いてたのしみにしていたのに、娘は家を出奔《しゅっぽん》して男と同棲し、そのうちやがて未婚の母となる、それは親からみれば「ハズレ」であり、子育ての敗残者、失敗者、挫折者であるかもしれないが、しかし、娘からいえば、「マットウ」で「アタリ」の人生を、生きつつあるかもしれないのだ。

　私が子育て論を書きたいと思ったもう一つの理由は、まさにその、娘の育てかたであるのだ。

　現代においては女の子の育てかたは、男の子の育てかたより、深い混迷の中にあるといってもいい。

　いまは、女の子のほうがずっと生きむずかしい世の中であるのだ。しかしそのかわり、男の子の何倍もの深い喜びを味わえる生きかたができるのではないか、さまざまの可能性のあること、男の子よりずっとチャンスが多い、といえそうだ。

　その部分に全く気付かず、世の男親・女親の多くは、

〈女の子だから進学はホドホドに……〉

〈なんたって女の子の進路はそう気をつかわなくてすむ〉

〈女の子の学校はまあ適当でいい、ウチにはあと男の子が三人もいるんだから……〉
などといっている。

私はそういう人たちの言葉を聞くたび、内心、

(ああ、この人たちはせっかくの人生のたのしみ、神様のすばらしい贈りものの価値に気付かず、それをおろそかに使い捨ててしまうのだなあ)

と心寂しく思わないではいられない。

私は、男の子と女の子で育てかたをちがえる、というやりかたには賛成でない。人間としての成熟に手をかす方法に、男女差別があっていいわけはない。社会生活にとけこめるように躾《しつ》ける、それにも男女同じ躾《しつけ》であるべきだ。

しかしまだまだ日本社会では、女の子の育てかたは、ある部分でやたら余計な圧力が加わり、ある部分では必要以上になおざりにされている。それで、私はことにも女の子の育てかたを考えてみたいのである。

さきにいったように、女の子はさまざまのチャンスがあり、夢があること、男の子以上である。その子の持って生まれた特性を充分活《い》かせるよう、才なり徳なりが開花するようにみちびいてやれば、これから先の社会で、女の子はどれほどみのり多い人生を送れるか、しれはしない。

〈女の子は、いずれヨメにいってしまうから、それを思うと、力を入れるのもつまらな

くて〉

という男や女が、いまもいるが、それならヨメになどやらなければよい、という考えで育ててみるといい。

女の子を育てるとき、なぜ日本の親は、まず、将来の結婚を、子育ての根本命題に据えるのだろうか？

女の子から「いずれ結婚するのだから」という大前提をとってしまえば、どんなに身軽でいきいきするか知れない。結婚みたいなもの、いつだってできるのだ。誰だってできるのだから、何十年も先のことを今から馬鹿の一つおぼえに唱えることはない。

幼いうちから、男の子も女の子もいっしょくたに、家の手伝いをさせる、ということはぜひ躾けてほしい。男の子には皿洗いもさせず、洗濯機の使いかたも教えず、お使いもさせず、庭掃除もさせず、そういうもろもろの家庭の雑事は、女の子ばかりにさせる、あれも一切、やめてほしい。

勉強がどうのこうの、なんて知ったこっちゃない。（このへんが、自分で実際に子育てしてない人間の強味で、いえることである）

少々の成績より、自分で生活できる力を持っていることが、人間の強みである。ゴハンは台所から湧いて出るものではなく、茶碗は勝手に流しへいってキレイになるものではない、ということを、子供のうちから、男女ともに叩きこんでいただきたい。そのほうが、男の子にも女の子にも将来、身について役に立つのだ。

〈男の子は、末は大臣になるかもしれないのだから、皿洗いなどはさせられない〉

という親もいるだろうが、何をアホなこというてはりますか、というところである。味噌汁の一つもスグ作れて、ゴハンをたいて、即席のうまい食事ぐらいは作れる大臣でなければ。少なくとも、

〈今は忙しいが、若いときはやっていたから、作ろうと思えばやれますよ〉

という男でなければ、大臣なんか「させられない」。

この頃の親は、男の子はむろん、女の子も使わないのには驚倒させられる。知人の娘、高校二年の女の子だが、母親が不在のとき、たまたま私が訪れ、食事どきになっても、母親が帰ってこなかった。下の子供たちはオナカがすいたというので、〈御飯でもたきなさいよ〉と私は女の子にいった。オカズがなくても、御飯をおにぎりにすれば、子供たちには、いっときの虫おさえになるかと思ったのだった。

ところが女の子は米櫃《こめびつ》のありかさえ、わからない。その家はガス炊飯器だったが、その使いかたも知らない。台所でふくれて、マゴマゴしていた。

また別の知人の娘、これはもう勤めているのだが、帰宅して、ちゃんと食事の用意ができていないと、ムーとむくれて怒るのだそうだ。

〈お母ちゃん、一日家にいてて何してんのん〉

といって怒ります、と知人の夫人は苦笑していた。こういう女の子も困ったものだ、そんなことをいってたら、共働きなど出来はしない。まして共働きで、子供をつくって育てる、などという大事業は望むべくもない。

生活能力を叩きこんでやるというのは、親の慈悲であり、情愛である。だから女の子にも、簡単な大工仕事、電気製品の、素人《しろうと》でも手に負える範囲の修理のイロハぐらいは教えたい。

私の夫の叔母は、体格も大きかったが、大工仕事のうまい人だった。棚とか犬小屋ぐらいは上手に作ってくれた。

ああいうのを見ると、女の子の中にねむっているたくさんの才能を、いまの教育は、充分ひき出していないんじゃないか、と思われる。

学校へ行くようになると、女の子には、他人との間での協調性を育ててやりたい。もちろんこれは、男の子も同じ。

いいウチの息子で、いい大学を出て、いい会社へ入った、非の打ち所のない青年が、往々にして会社の中でとけこめず、馴染《なじ》めず、脱落してゆくことがある。成績や学業に気をとられすぎ、他人と協調する、という、人間の暮らしにいちばん大事な訓練をされていなかったからであろう。

女の子の教育方針として、かなり多くの男や女が、

〈誰にもかわいがられるように、素直で明るく、かわいい性質に育てたいと思います。女の子は、将来、家庭に入って、姑《しゅうとめ》や舅《しゅうと》、夫の兄弟たちとも馴染まないといけないのだから〉

と誇らしげにいうのを、何度も聞いた。協調性はたしかに大事だが、女の子は「素直で明るければ」いいってものじゃないのだ。

人にかわいがられる、ということは、男・女ともに幸福な徳性だが、かわいがられるだけでは人生の幸せは半分しか味わえない。

自分が他の人をかわいがることができなければいけない。女が、子供を産み、その子をかわいがるのは、生物的な必然で、そういうのも幸せの一つではあろうが、社会に生きてる以上、女がかわいがるのは子供だけであってはならない。

男や女をかわいがる、男や女を愛し、認め尊敬し、そうすることで深い喜びを手にするということができなければならない。

なぜ女の子を、「誰にもかわいがられるように」という一点だけに押しこんでしまうのだろう?

人をかわいがることのできる女の子に、なぜ育てようとしないのだろう?

異性を愛するのは、その時期がくれば誰にも訪れる感情だが、同性のよさをみとめ、それを愛するという心の発達をも、促してもらいたい。

男には友情があるが、女には同性間の友情は存在しない、というのは、従来の性差別教育の歪曲《わいきょく》による結果である。

女の子を友人や仲間の間に抛《ほう》り出して、自我の発達、成熟を促すこと。

女の子は往々、両親のペットになりやすいが、女の子ほど突きはなして育てないといけない。依存的な女の子をつくるのは、巡り巡って両親の苦難を増すだけである。一人ぼっちに耐える、困難に耐える、という女の子をつくるのは、いまや、男の子のそれをつくるより、緊急、最重要の課題である。極言すれば、この男性社会では、むしろ男の子はボンクラでも何とかやっていける。しかし女の子がボンクラではもうやっていけない社会になってしまったのだ。

シッカリと一人だちできる女の子に育てようではないか。

家庭のあたたかい庇護、というのがクセモノなのだ。家庭はあたたかいほうがいいが、外の嵐に少しずつ馴らし、やがて素手《すで》で嵐の中へたち向かえるように、徐々に躾けてやるのが望ましい。

〈なあに、女の子は自分がシッカリしていなくても、結婚相手の男さえシッカリしていれば〉

という親もあるだろう。それは好き好きだから、かまわないが、しかし現実に目を向けてもらいたい。シッカリした男の庇護はどこまで頼れるものであろうか。海外駐在の商社員の夫人が、海外生活に溶けこめなくてノイローゼになり、夫は出世の邪魔とばかり離婚してしまった、そういう話はよく聞くところである。

順調にきた男たちがはからずも転勤とか出向、単身赴任とかリストラで、変調をきたし、ウツ病になるケースが多いというのと同じである。女の中にも、結婚しても実家の庇護や支持で、やっと一人前の恰好をつけている〝オトナコドモ〟が多い。

こういう未成熟な女たちでも、体裁《ていさい》だけは一人前だから、世間はオトナとして扱う。それが馴染みの、肌なれした世界にどっぷり浸っている間はボロがかくされているが、いざ一人だちして、その人間の真の値打ちが問われるという状況に直面すると、たちまち崩壊してしまう。

両親は、ツケを払わされることになる。

誰のたすけもない海外だとか、あるいは夫を不慮の事故で失ったとか、そういう場合、ヤワな女の子はたちまち変調をきたす。

それに、「夫」は「両親」ではない。夫というイキモノは限りなく寛容ではない。どの夫も内心には飼い馴らされぬ野獣を一匹ずつ棲《す》まわせている。

いつ心がわりするか知れない。

いつ妻や子を捨てるか知れない。

変幻自在な男心をかくし持っている。（それは女自身も同じことだが）

いつもかわらぬ温かい庇護を惜しみなくそそいでくれる両親とは、わけがちがう。離婚は日常茶飯事になった。蒸発する男も多い。

女たちが身をかくす穴は、いつ崩壊するかわからない、不安定なものになったのだ。

女の子に力をつけてやるとすれば、自分で穴を掘ってねぐらを作る力、そして男を愛し男と闘い、女とむつみ、女を信じ、また女と競う力、これである。やたらかわいい女の子をつくるだけが能じゃないのだ。

女の子が反駁《はんばく》すれば、〈女の子は口答えしてはいけない〉とあたまから封じる親（殊《こと》に男親）たちも多いが、反駁する力は上手にみちびいてほしい。嵐の中で転覆したボートを、またひっくり返してすがり、よじのぼる勇気を養うモトになるかもしれない。

主婦とか妻とか母とかいう名と位置に、かなり庇《かば》われている女は多い。その名と位置をとったとき、あとには未成熟な、たどたどしい、たよりない、勇気に乏しい、依存的な、ただのコドモでしかない、そういう女たちが多い。社会生活にも適応せず、人間としても練れていず、従って面白みも深みもない、世間知らずの大きいコドモ。

それが結婚して主婦と呼ばれ、子を産んで母と呼ばれている。

日本の社会に、いつまでも未成熟な点があるのは、女の子教育のゆがみから来ているのだ。そういう女たちが育てる男の子も、未成熟になってしまう。

男と女が同等に学問する機会を与えられたことは、今世紀最大の進歩の一つである。

せっかくのこの価値をみとめていない世の親が多いのも、残念なことである。

学問したい女の子の進学希望を封じ、男きょうだいの進学のほうを優先する、ということは、もうやめてもらいたい。女の子でも、勉強したい子にはさせ、特技を身につけたい子にはつけさせる、そしてひとりだちの力をつけさせる、それには早く親もとから抛り出すことである。

自分を大切にし、身を守る怜悧《れいり》さは、女の子自身のうちにある。それを引き出し、めざめさせてやる。結婚する、しないはその子の自由にまかせてほしい。そんなことより、自分たちの老後の人生の充実を考えたほうがいい。働きたいという女の子は働かせてやればよい。

無気力で依存的な女の子に育てると、結局苦労するのは親であろう。少々かわいげなくっても、両親の支えの手からはなれて、ツカツカと一人で歩き去る、そういう女の子に育ててほしい。……おやおや。そうして考えてみると、結局、女の子の育てかたも男の子の育てかたも、いっしょなのだ、ということになる。

(『死なないで』一九八五年・筑摩書房。初出は「暮しの手帖」79号・一九八二年七、八月)

子供地獄

私の知っている主婦たちは、たいていパートに出ているが、四十歳過ぎての勤めではあり、手についた職とてないので、それぞれ、スーパーの下働きとか、菓子工場、雑貨店の店員、家事手伝いなどに従事している。いいほうで七万円、ふつうは五、六万という報酬だという。

その多少はさておき、そのぶん家計がうるおうかというと、そうではなく、家計の逼《ひっ》迫《ぱく》は同じだと訴えている。ただ、稼いだオカネを握っているので、小遣いに不自由しない。喫茶店へいくとか、昼食のうどんを食べるとか、新発売の口紅を買ってみるとか、要するにドーデモイイことに費消する小ガネはあるわけだ。そのうちに日向《ひなた》の氷のように一ト月分の報酬は消えてしまい、やがてまた一ト月、日に何時間かを小ガネのために捧げなければならない。

小ガネはあれど、大ガネがないので、打ちあけていえば家計は常に火の車だと彼女らはいっている。一見裕福そうな中流家庭に見えるのに、一家の稼ぎ手が発病するか、もしくは奇禍《きか》に遭ったりすれば、どうなるのだろうと寒心《かんしん》に堪えない。

日本は決して金持ち国ではない。大衆にはコーヒーを飲んだり、うどんを食べたりする程度のオカネはあるが、それ以上の贅沢は何にもできないのである。

国民一人あたりの所得がいくら、という数字などは所詮《しょせん》、統計上のお遊びであろう。私が友人知人の主婦たちと話して得た感触では、日本の家庭の経済的逼迫度はかなり高い、といわなければならない。

ゴールデンウィークなどに、どっと海外へ観光旅行に出かける大衆を見ると、いかにも金がありあまっていそうだが、それらはほとんどアブク銭というべき、「小ガネ」のたぐいである。株を操作するのも小ガネ、毛皮宝石を買うのも小ガネ、日本人は富の蓄積ができないので、やけくそでローンで買いこむ。旅行も毛皮宝石のたぐいもみなローンなのだ。ローンは小払いなので、小ガネですむのだ。

要するに現代日本人は、小ガネをやりくりして自転車操業しつつ、貴重な人生を、

〈カネ、カネ、カネ……〉

と苦しめられつつ死んでいくのだ。

家計をあずかる主婦たちは、もう、どうしていいかわからなくて、とりあえず小さい穴のホコロビを小ガネでつくろい、そのうちまた別の穴がホコロビ出すので、あわてて

そちらをつくろいしつつ、小ガネをあたふたばらまいては呆然自失し、荏苒《じんぜん》として日を過ごしているというありさまだ。

ゴッホの『ひまわり』を日本の会社が五十三億円で買ったなんて、恥ずかしくて私は海外の人々に合わせる顔がない思いだ。そんな大金を投じる国の大衆は小ガネしか持てなくて、あたふたと自転車操業のやりくりに追われ、常に危機感におびえて逼塞《ひっそく》しているのだから、どこに金持ちの余裕があろうか。

（しかし）

と、戦中派育ちの私は思う。

戦時中のことを考えて生きていたら、もっとゆたかに暮らせるはず。オカネだってうんとたまり、「富の蓄積」を果たして、大ガネを持ってるはずじゃないかなあ。

私自身、まあ経済観念はないから、オカネはたまらないけれど、鍋がこわれても蓋《ふた》は捨てずにフライパン用に残し、古タオルを縫い重ねて足拭きにし、ゲラ刷りの用紙を小さく切ってメモにするというクセがぬけないのだ。チビた鉛筆にキャップを二個三個とはめて使い、残り物の野菜を使って八宝菜を作る、という生活をして、それを窮乏とは思わない。当然のこととして生活の一部になった暮らしなのである。そういうやりかたでいけば、現代のように物のゆたかな時代、逃げ道はいくらでもあるはず……と思うのだが、主婦たちは口を揃えて、

〈子供がいるとねえ、そうもできないわよ〉

という。そうか、わかった。

かねてそうではないか、と私は推察していたが、世帯《しょたい》窮迫の真の原因はどうも子供にあるようだ。いや、子供だけではない。

子供と持ち家志向。

この二つが家計を直撃しているようである。持ち家志向のために住宅ローンを払いつづけなければならない。

実をいうと、私は貸家志向である。家や土地は借りて住むのが一番だと思っているが、あいにくいささかの本を持って（大半、雑誌だが）動けなくなってしまった。それで土地を買って家を建てたが、本来は転々と住み替えられればいいな、と思っている。もっと沢山の貸家ができれば、こんなにみんなが持ち家で苦労することはないと思うのだが、その問題はちょっと措《お》く。

とにかく子供だ。これが何ともおカネのかかるものらしい。子供に金をかけすぎ、その度合いはとめどなく増大してゆくようである。

子供が贅沢になった、という親たちの嘆きはすでに昭和三十年代からあった。昭和四十年代ではすでに、子供に贅沢をさせるのが親の生き甲斐のように思われていた。

その頃の子供が今の親なので、子供に甘いのはどうしようもない雪崩《なだれ》現象かもしれない。

子供の数も少なくなっているから、よけいである。

この、子供を甘やかすという点では、お隣の中国も同じとみえて、「人民中国」の一九八七年五月号に、〈独生子女〉――ひとりっこ――の特集が載っている。十数年前から中国では一人っ子を奨励してきたため、現在では三千五百万人もの一人っ子がいるそうである。

一人っ子だから甘やかされて家族にチヤホヤされ、小学生でもゆで卵がむけない、箸《はし》が使えない、みなまわりの大人が世話をする。遊んでいるうち靴の紐が解けたといって先生に足をつき出す。なぜ自分で結ばないのと問われて、〈できないんだもの〉とその子はすましているそうである。学校で大掃除などするときは「みもの」だそうだ。子供にやらせるのが可哀そうだと、親たちが出てきて、ガラス拭きから、庭掃除、草むしりなど全部やってしまい、子供には木かげでアイス・クリームをなめさせておく。そして、〈こんなことは私たちにはなんでもありませんが、子供にはさせないで下さい!〉というそうである。若い両親ばかりでなく、父方母方の老祖父母たちも、子供の代わりに掃除をしにくるという。

これは中国を嗤《わら》えない。日本も同じことだろう。中国の小学校では、夏に、校内合宿の行事があるらしくて、そんなときにも親たちは食べ物の差し入れに「どっとやってきた」と。しかも少なからぬ金を子供たちは親から持たせられる。学校側が配ってくれるアイスキャンデーは食べたがらず、小遣いでアイス・クリームを買いたがるという。このあたりの事情もまるで日本と同じで、それに対処するのに中国では親の「学習」を大いにすすめ、一人っ子教育の弊害を反省する運動を推進しているようであるが、日本の親たちにはそういう自覚はないから、「子供に贅沢させる」傾向はますますエスカレートして、その結果として主婦は家計の逼迫を訴え、せめてもの気やすめにパートへ出、小ガネをつかんでは散じているようである。

そして子供の年齢が高くなるにつれて、当然のことながら子供の贅沢も金嵩《かさ》が張り、親はいよいよ小ガネあつめに狂奔《きょうほん》する。

私の周辺の主婦たちを見ると、三十代の主婦は子供たちが小さいからまだしもゆとりがある。

〈今から入学金を用意しなきゃ〉

などというが、子供は小学生だから、まだ苦労はそれほどでもないようだ。男の子を持つ人はファミコンだか何だか、高いものを買わされて、とぼやき、女の子を持つ人は有名ブランドの服を買わされる（子供服が売り出されている）と嘆くが、何たって小学生だからまだ知れている。

これが高校・大学となると、もう手がつけられなくなってしまう。四十代主婦たちはとめどなくホコロびつづける家計に絶望しつつ、雑貨屋で、菓子工場で、他家の台所で働き、小ガネを得ては息子・娘に貢《みつ》ぎつづけるのである。

母親は髪を白いコットンのネッカチーフで包み、エプロンを着て、菓子工場で立ちつづけの脚をむくませて働いているというのに、娘はシティホテルでテーブル・マナーの習得というので着飾ってご馳走を食べに出かけてゆく。そのために着るドレスを、レンタルでそろえるといい、あっという間《ま》に四、五千円使う。息子は何の修練か、軽井沢へ合宿にいく、という。母親は時給五百五十円で汗みずくで働いているというのに、何ともフシギな光景である。

〈みんなおしゃれになって……。去年の服を着てくれないのよ〉

四十代主婦は嘆く。

〈毎晩、風呂へ入って、そのくせ、朝もシャワーを浴びていくから、こまかいことをいうようだけど、水道代もバカにならないわ〉

と一人がいえば、

〈それはどこもそう。朝のシャワーはもう常識なんですって。髪に寝ぐせなんかついてると、死ぬほど恥ずかしいんだって。シャワーで濡らして、朝、長いことかかってヘア・ドライヤーで乾かしていくのよ、夜は遅くまで起きてるから電気代だって安くないわ〉

もう一人の四十代主婦。

〈シャンプーだって高価《たか》いのでないと承知しない。男の子でも化粧品がずいぶん高くつくわ〉

〈何たって電話。これが高い。毎晩の長電話、電話のあいてるときがないんだもの〉

これでは、家計も火の車のはず。私が彼女らの話を聞いて奇異に思ったのは、子供たちのとめどない贅沢、浪費ぶりに、怒りながらもそれを阻止する気配がないことである。

無力感だけ、感じられる。

多分、彼女らの夫もそれは同じなのだろう。

〈どうしようもなくて、ねえ、この頃の若い者は贅沢で……。しかしヨソもみなそうだから、どうしようもないんだよ〉

といいつつ、中年男たちは息子に車を買ってやり、娘に盛大な結婚式をあげてやるのであろうか。ローンに苦しめられつつ、重荷を負うて子供のために尽くしつづけるのであろうか。世間には金持ちの道楽息子やドラ娘が氾濫《はんらん》しているようにみえるが、その大方《おおかた》の親は金持ちでも何でもあるまい。子供に甘いだけで、〈どうしようもない〉といいつつ、子供地獄におちて塗炭《とたん》の苦しみに喘《あえ》いでいる、フツーの庶民なのであろう。親馬鹿悲話というべきか。

経済的にいつまでも自立できない子供たちを育てていては、たぶん親たちは子供地獄から一生、足の抜ける時はないのではなかろうか。

　私は四十代の親たちの無残酸鼻《さんび》な現状にすっかり同情し、

〈それはいっぺん、甘えてる子供たちに一ヵ月小遣いをやらないとか、仕送りを打ち切るとか、兵糧攻《ひょうろう》めにしてみたらどうですか？　そしたらお金のありがたみもちっとは、分かるんじゃないかしら〉

　といった。すると彼女らは一せいに、

〈そんな可哀そうなこと〉

〈主人がきっと、こっそりやるに違いないわ〉

〈私に泣きついてきたら、主人に内緒でやってしまう〉

と、愛情までが小ガネ風で、ちびちび、と、しかも漏れつづけで放出するようである。

　その上、

〈何たってタナベサンは、お子さんがいらっしゃらないんだもの、子供のためなら「どうしようもないわね」と思う気持ちは、おわかりにならないかも〉

と、トドメを刺されてしまった。しかし、私がこんなことを書いている間も、四十代の親は身を粉《こ》にして働いて、阿呆なナマケモノのドラ息子ドラ娘のために家産を蕩尽《とうじん》しつつあるのかと思うと、私まで絶望的になってくる。

　――そんなある日、私は遂《つい》に、恐ろしさのあまり胴震いの出るような、惨憺《さんたん》たる家計簿を見てしまったのである。「SOPHIA」という女性雑誌に家計診断というページがあるが、お金の貯め方・殖やし方を経済評論家今井森男氏が診断していられる。一九八七年六月号の公開家計簿の一つに四十三歳主婦のものがある。

同年の夫は会社部長、手取り四十万のサラリー、妻がパン屋のパートで働いて五万円、一家の月収四十五万円。私立音楽短大の娘と、私立高校の息子、四人家族である。現代の常識でみれば、子供二人が私立、というところにややひっかかり、大変だろうなとは察するが、まあ四十五万で親子四人なら、何とかやりくりできぬことはあるまいというところだろう。この一家は東京都住民というから、諸事、ちょっときつ目かな?……という気はするが。

ところが何と、驚倒すべきことに、月の赤字二十万九千円。赤字は年ボーナス三百二十万円から補塡《ほてん》するという。住宅ローン八万五千円というのがあるにしても、説明を読んで寒くなってしまった。グランド・ピアノのローンに毎月五万円、息子のパソコンとバイクのローンに三万円、息子の乗り回すバイクのガソリン代も要《い》るわけ。長電話、光熱費の増大、ひとごとながらどうなるんだろうと思っていたら、さすがの評論家も匙《さじ》を投げられたとみえ、

「このままの状態でいきますと、お先まっ暗という感じですね」

と家計の末期症状と診断していられる。「一日も早く、緊急マネー会議を家族全員で

開いて、現在のひどい状況を、全員で厳しく認識し、どうしたらよいかを話し合うべきです」。子供たちにローン分だけでもアルバイトさせよ、と。しかし私の思うに、十七、八、九の年頃まで贅沢の水に染まってしまった若者は、もう手のつけようがないんじゃないかと、悲観的である。

こういう家は私の周りにも実に多く、不健全な経済基盤の上にあやうく立って、ちょっと指でついたら転倒《こけ》そうな家庭が多い。日本は富んでいるというのは幻影だ。庶民はやっぱり貧しく、小ガネをちょろちょろ、右の掌《たなごころ》から左の掌へ、左から右へこぼしつづけているにすぎない。

親や若者たちだけを責めるのは当たらないだろうと思う。マネーゲームにトチ狂って、うつつを抜かしているような世の中自体おかしいのだし、消費文明のさなかに生まれてきた若者たちは、よっぽどうまく教えてやらないと、オカネの値打ち、なんてことはわからないだろう。

私はその家計簿を読み、どういうわけか、フト、子供のころのことを思い出した。戦前の昭和十年代前半、正月や夏祭りに子供がもらうお年玉やお小遣いはわずかなものであった。しかし、多くの人から貰うので、小銭もちょっとした金になる。ところが家のオトナは子供の持つ小銭に鋭敏だった。子供が小銭をたくさん持ったり、費消したりすることを忌《い》んだ。お年玉はみな母や祖母に召し上げられてしまう。

〈子供はおカネ持つもんやない〉

〈子供が仰山《ぎょうさん》ゼゼ持ってたら、巡査ハン、訊《たん》ねはる〉

などと取りあげ、大人が預かってやる、というのであるが、これは決して返してもらえない。商家には常に小銭が散っている。オトナは誰も彼も、子供たちに目配りをとどかせ、子供と小銭の関係には神経質であった。金銭感覚、経済観念というのは、ほんの小さいうちから教えないといけない気がする。

とまれ、親たちが身を粉にして子供のために働き、尽くしつづけるのを私は子供地獄と呼ぶが、当の親たちにはあまりその自覚もないらしいのが、この地獄の特徴である。

（『ぼちぼち草子』一九八八年・岩波書店。初出は「世界」一九八七年七月号）

合わせものは離れもの

有責配偶者からの離婚請求も許されるという判決は、現在の結婚制度に一つの風穴を開けた感じだ。離れた人の心は、二度と戻ってこない。私は破綻《はたん》の原因は片方だけの責めにあるのではないと思うので、元来、女性の味方を標榜《ひょうぼう》する者であるけれど、この判決を支持する。

これは男のわがままやエゴを許容することにならないかという女性側の反対もあるが、いったん離れた人の心を、法律で引き戻そう、縛りつけようとするほうがエゴでわがままであろう。意地や復讐、制裁のつもりで離婚に応じない妻がいるとすれば（世の中には案外多いらしい）、結局、自分の人生も犠牲にすることになる。私などは性本来《せい》、杜撰《ずさん》にできているほうだから、そう長く悪意を持つことに耐える力がないであろうと想像する。有名無実の夫婦関係に意義があるとは、どうしても考えにくいであろう。

ところでそれについては、有責配偶者のほうができるかぎりの経済的保障をするべきだろう。このことで思い出すのはかのアラカンこと、嵐寛寿郎《あらしかんじゅうろう》サンである。アラカンは「次の女性」と再婚三婚するときは、身一つで家を出た、といわれている。家屋敷、財産はそっくりそのまま、元夫人に残して、裸一貫で立ち去ってしまったという。仄聞《そくぶん》するところによると、亡き岩田専太郎画伯も、そのクチだったという。すべてを置いて身一つで家を出られたそうである（その機会が何度あっても常にそうだったと）。有責配偶者たる夫は、この心構えであらまほしい。

さて、経済保障はそれでよいとして、受けた精神的苦痛はどうしてくれるのだ、と無責配偶者は叫ぶであろう。これはどうしようもない。「極めて苛酷《かこく》な状態におかれない限り」といっても、捨てられた側はみな精神的に苛酷な状態にならざるを得ない。

これに対しては、私は、〈結婚というものを理想化しすぎるな〉としかいえない。古人も、

〈合わせものは離れもの〉

といっている。結婚式場の背景にこの言葉を大書して飾りたいくらいだ。

それにつけても、問題の大本《おおもと》は、破鏡《はきょう》の憂き目を見ることなく、結婚生活を成功させることができればいちばんいいのであるが、このあいだ、ある雑誌（主婦の投稿誌）が、読者の女性百二十四人に、結婚の成功失敗のアンケート調査をしたところ、結婚が成功だとみとめた人々は、結婚相手を「性格本位」「人生目的の一致」で選んでいた、とい

う。かつて私がいったように、〈結婚するなら、ウマの合う人と〉という提唱が、はしなくも立証されたわけである。収入や家柄などの条件より、性格的にウマが合う、ということを重視するよう、若い娘たちに教えなければならない。

ところで、私のもとへも、女子大生や若い娘さんがちょいちょいやってくる。私は彼女らに、〈合わせものは離れもの〉と教え、「ウマが合う」ことをすすめるが、まだ人生経験の少ない娘たちは、どんなのがウマが合うか、よくわからない。

よって私は、ヒントとして、次のような点をあげる。

一、蝶よ花よ、と大事に育てられた男は避ける。チヤホヤされて大きくなった男はつきあいにくいしろものである。有責配偶者となる公算大。

二、我《が》の強くない男がいい。女が常に屈服するというのは精神衛生にわるい。

三、男の野心がないのがいい。家族はその犠牲になってしまう。

四、サムライでないのがいい。といっても、これは程度問題で、あまりに廉恥《れんち》を重んじ、信念に生き、志操《しそう》高潔という男は、友達に持つのはいいが、夫にすると荷厄介だ。人生はゲリラにならねば生きのびられぬときも多く、ウソもつき、信条も曲げねばならぬこともある。だから、このへんの呼吸のわかっているオトナのサムライならよいのであるが……。

五、女をなぐさめる能力のある男。男はつねに女になぐさめられたがっている動物である。とはいえ、男をなぐさめるばかりでは、女の息がつづかない。「妻だけが時世のせいにしてくれる」（柴田午朗《ごろう》）という川柳があるが、いつもいつもそれではなく、たまには女をなぐさめることのできる度量の男。

――と、まあ、こう結婚相手を選ぶときの基準を考えてきて、これは、男と女を入れかえれば、男が妻を選ぶ目安にもなるなあ、と思った。しかしこれらの基準に合致した相手を配偶者としても、人生の一寸《いっすん》先は闇、どうなることやら誰にも運命は分かりはしない。「合わせものは離れもの」、これは冷厳至高《れいげんしこう》の哲理であろう。さきに古人というたが、ナニ、死んだ私の曾祖母《そうそぼ》の口ぐせである。結婚式場のみならず、家庭裁判所などにもこの箴言《しんげん》を垂れ幕に書いて掲げておくのもよろしからん。

（『天窓に雀のあしあと』一九九〇年・中央公論社。初出は「中央公論」一九八七年十一月号）

あとがき

これは「家庭」や「結婚」「男と女」「愛のかたち」、そして究極には「女の子の育てかたは」に至る、長年の私の考察、あるいは感懐《かんかい》、をまとめたエッセー集である。ずいぶん以前に書いたものもまじっているが、といってそれらが現代に通用しない、もはや古びた発想、とも思えない。

してみると、社会文化の表面では日本は烈《はげ》しく変貌・流動しているようであるものの、大本《おおもと》の、根っこの部分ではあまり変わっていない、ということかもしれない。

それでも、「男」の変わりかたより「女」の変わりかたのほうが烈しい。何より「女」をとりまく社会状況が、(世界の女性環境と連動して)ずいぶん変わった。女性を守る意識が高くなったのはめざましい進歩だ。長い間の女性運動家たちの成果でもあり、もはや、あと戻りできない社会意識の革新でもある。

〝セクハラ〟や〝アカハラ〟が新聞記事になる世相、DV(家庭内暴力)の社会的規制など、法律が女たちの保護に乗り出すようになった。女たちが泣き寝入りしなくなった。

社会の気流が女たちの支援にまわりはじめた。

しかし男たちの中にはそれが理解できず、男自身の日常の中で、変化を受容しない人が多い。私の知人にも勇敢な男がいて、

〈ワイの女房《よめはん》を、ワイが撲《ど》ついて何が悪うおまんねん。ワイの親父も、お袋をよう撲ついとった〉

などといい、それがDVというて罪になるんや、と大家さん（物の譬《たと》えである）あたりに諭《さと》されると、

〈DVッて何だんねん。まだ食うたこと、おまへん〉

と、狐につままれたような顔でいたりする。金もうけの方法や利殖のアイディアは閃《ひらめ》くのに、女性文化には未開蒙昧《もうまい》、それが、ちまたのおっさん・おっちゃんたちだけではなく、結構な紳士連のなかにも、案外、多いようである。

だから、「大本の、根っこの部分では（日本は）あまり変わっていない」と私が思うゆえんである。

それを変えるのは、女たち――イザナミ――の力であろう。「イザナギ」は直《ちょく》で剛《ごう》で頑固、石あたまであるが、「イザナミ」は、曲《きょく》で柔《じゅう》で温順で、血のめぐりよく、弁口《べんこう》たくみにして口八丁手八丁なり。「柔よく剛を制す」のことわざ通り、世の中を変革するのは、女――イザナミ――であろう。

いわば、本書はそれについての、考察のヒント集、とでもいうべきだろうか。

現代ほど、「男と女」のたたずまいが問いなおされる時はない。女たちは外で働くようになった。子どもの数は少なく、そして老いの時間が長くなった。男と女、夫と妻は、長い時間を共有することになる。いよいよ、「生きるとは」「愛するとは」という問題が、人生の大きい部分を占めることになってしまう。

私は今までに短篇小説を五百何十篇か、書いた。幸い、それらは読者に愛されて世の中へ散っていったが、それらの短篇のヒントは、本書の考察にみんな、盛られている。わたしは短篇を書くのが好きだが、テーマはつねに同じであった。愛すること、恋すること、生きるってなんと楽しいことだろう、という発見である。

読者のみなさまに、この本が、そうした考えかたのたのしい示唆《しさ》になれば、幸せである。

平成十四年（二〇〇二年）初秋

田辺聖子

解説

諸田玲子

田辺聖子さんはふしぎな人である。

まろやかで、あたたかくて、ふわふわしているのに中身がずっしり詰まっていて、全身からオーラを発散している。それに、とても愛らしい（大先輩作家にゴメンナサイ）。酸いも甘いも嚙みわけた大人の目と、真摯で一途な少女の心がひとつに溶け合っている。

某小説誌の対談で、ご自宅へおじゃましたことがある。花やぬいぐるみや人形や、美しいものに囲まれた田辺さんは小柄な方だった。小さなやさしい声で話をされる。でも、話しているうちに、とてつもなく大きく見えてきた。このときのテーマは短篇小説だったが、短篇への熱い思いはもちろん、一人でも多くの子供たちに書く喜び読む喜びを与えたいと語る声は力強く、小説への純粋な愛があふれていた。

田辺さんの大きさ力強さは、膨大な著書の数々をみればわかる。

私が最初に読んだのは『新源氏物語』だった。谷崎源氏や与謝野源氏では今ひとつぴんとこなかった物語が、田辺さんの痛快な語り口、人間味あふれる人物造型のお陰ですんなりと頭に入った。なによりその楽しさといったら……。俄然《がぜん》、平安朝が好きになった。それからは『むかし・あけぼの』『田辺聖子の小倉百人一首』『舞え舞え蝸牛——新・落窪物語』『蜻蛉日記をご一緒に』『田辺聖子の今昔物語』等々を貪《むさぼ》るように読み、時代を遡って『隼別王子の叛乱』など田辺古典を読破、そのあと『ひねくれ一茶』を読み、人間への鋭い洞察に深い感動を覚えた。それからは『道頓堀の雨に別れて以来なり』や『姥ざかり花の旅笠』を手当たり次第に読みまくり、その合間に「カモカのおっちゃん」や「熊八中年」「与太郎青年」の登場するエッセイにくすくす笑い、そこで今度は、大阪弁を駆使した、軽妙洒脱な恋愛小説の膨大な作品群へわくわくしながら足を踏み入れた。

……とまあ、恋愛遍歴ならぬ田辺本遍歴を書き連ねたのは、田辺さんのふところの大きさ、ジャンルの広さ、泉のごとき才能にいかに圧倒されたかを伝えんがためである。

つい最近、新装版『苺をつぶしながら』などの「乃里子」三部作を読み返したが、恋愛・結婚・離婚を巡る主人公の、素直な、ときに大胆な言動には大いに共感、うなずいたり忍び笑いをもらしたり、年月を経ても一向に古びない小説の力に改めて驚嘆した。

この間口の広さ、奥行きの深さはどうやって培《つちか》われたのか。

その秘密の一端をのぞかせてくれるのが本書である。

田辺ファンなら、田辺さんが大阪で写真館を営む大家族の中で育ったことや、戦後早々に父親を亡くし、母や弟妹と苦難を乗り越えながら成長したこと、『感傷旅行《センチメンタルジャーニィ》』で芥川賞を受賞したあと、子連れのお医者さまと結婚したことなど、すでにご存じだろう。そのあたりのことは数々のエッセイにも記されている。NHKの朝の連続ドラマでも放映され、私も毎朝、楽しみに観ていた。本書のIでは、田辺さんの半生に最もかかわりの深い母、父、祖父、夫、そして自らの人生についてのエッセイが収められている。

それにしても思う。田辺さんのまわりにいる人々はなんと愛すべき方たちか。もちろん、これは相対的なことなので、愛情深い家族がいたからこそ今の田辺さんがあり、愛情にあふれた田辺さんだからこそステキな人たちが集まってきたのだ。母、父、祖父への田辺さんの観察眼は鋭く、弱点や欠点も含めて活き活きとした人となりが浮かんでくる。そのまなざしはとことん温かい。ご主人の葬儀での挨拶もそう。悲しみの中にもユーモアさえ交えて、絶妙な夫婦の機微を伝えてくれる。これは田辺さんが、滑稽さや哀しさ、愚かしさをも含めて、人間というものを心底、愛しているからだろう。

愛して、愛されて、楽しんで、そして命の終わるとき、棺の中へはいりながら、

〈アア、楽しかった!〉

といえるような人生を、私は送りたいと思っている。

田辺さんは書いている。その先は、こんなふうにつづく。


つくづく思うに、（昔から人間というものはそうだが）ことに現代では、真の生きるよろこびというのは、愛すること、愛されること、しかないのである。

そして、私たちオトナが、これからの子どもに対して教えることは、人を愛することのできる人間になることだけである。


田辺さんならではの言葉だろう。つまり、田辺さんの核は「愛」である。

では、実際に女たちは、愛し愛され、人生を謳歌しているのだろうか。結婚は、家庭は、愛に満たされているのだろうか。

II、IIIには、愛についての、田辺さんの考察と箴言《しんげん》が詰まっている。

女について――。「女らしさ」とは「人を愛せる能力」だと田辺さんはいう。「すべてを抱擁する、愛情」……それには「いたわり、心遣い、相手の気持ちを汲めるだけの心の余裕と訓練」が必要だ、と。

結婚について――。「結婚」とは「男と女が愛し合うこと、それを土台に人生をつくること」だと断言する。そのしごく当たり前であるはずの結婚が、「ただの員数そろえになっている」と怒る。「だから私は、ニッポン国においてほんとうの意味の『結婚』

などあるかと問いたいのだ」と。本当の結婚――愛して恋して結婚すること――そのためには人を愛する能力が必要だ。これは一朝一夕には身につかない。愛の何たるか恋の何たるかを知ったオトナたちが、「家庭」を通して子供に教えるべきことである。ところが、教えようにも、愛を経験したオトナがいない。それは「日本の国のさびしさ、貧しさ、うすっぺらさです」と、田辺さんは嘆く。

愛を経験する、ということは、どういうことか。ただ口先で愛や恋を連発することではない。本気で愛すれば、自ずと苦しみ傷つくこともある。

別れについて――。田辺さんは「七転八倒の別れを愛する」という。「別れに楽しい別れ、スマートな別れ、美しい別れはあり得ない」と。「別れ」とはそもそも重いもので、そうなったら辛いけれど、それこそが「人間としてあるべきかたち」ではないかと。

それゆえにこそ、私は人間が、ちょっといいものだと思える。

この一文は、田辺さんの生き方を端的に表しているような気がする。決してきれいごとを並べているわけではない。田辺さんは多感な少女だったに違いない。自分の心の内を、まわりにいるたくさんの大人たちを、まっすぐな目で見つめて生きてきた。悩み、怒り、傷つき、数々の苦難と真っ向から向き合い、乗り越えてきた。人一倍繊細で傷つきやすかったからこそ、他人の痛みがわかる大人になった。だから今、人の愚かさやおかしみを、微笑みをもって見つめることができる。

そう思って読み返せば、ご主人の葬儀で、努めて明るい挨拶をされた田辺さんの悲しみの深さが胸に迫る。参列した人々への心遣いは、田辺さんの愛であり、女らしさに他ならない。

私が田辺家へうかがったのは、ご主人が亡くなられたあとだった。お話をした部屋に、ご主人の写真が飾ってあった。

「イイ男でしょ」

田辺さんは弾んだ声でおっしゃった。少女のような笑顔だった。

「夫は男ではない気がする」と、本書の中では書いている。「結婚とは、男をタダの夫にし、女をタダの妻にしてしまう」……と。けれどそれは、田辺さんなりの愛情のこもった言い方なのだと、私はあの日の笑顔を思い出しつつ思った。タダの男とタダの女のステキな関係は、愛情の裏づけのない、員数そろえの結婚とは似て非なるものだ。それが証拠に、本文ではこうつづいている。

私は、結婚の卑近性というものが好きだ。男を夫におとしめ、英雄偉人をタダのオッサンにしてしまう結婚は、私にはすばらしいものと思えるのだ。

田辺さんはこれまで、実に五百篇を超える短篇小説を書いている。恋愛や結婚についての、ユーモアとペーソスに満ちた小説である。そのすべてに共通するものはなにか。

愛――。

本書を読んで、私は、田辺さんが私たちに伝えようとしている「愛」の大きさに、今さらながら胸を打たれた。

田辺聖子の本

好評発売中

鏡をみてはいけません

ご飯とカマスとだし巻き卵があれば一日幸せ。そんな朝食主義者の男・律と彼の妹、前妻の子との4人で暮らす野百合、31歳。家族って何だろう。ちょっと変わった本当の愛の物語。

楽老抄 ゆめのしずく

男女の不思議、現代世相への感慨、文壇仲間の吉行淳之介や司馬遼太郎らとの親交と哀切な別れなど、お聖さんが綴る名品揃いの随筆集。おとなの時間の芳醇なエッセンスが満載！

セピア色の映画館

映画に魅せられ陶酔した若き頃。映画を通じて様々な人間像と巡り会い、それを表現した俳優陣に親近感と敬慕の念を抱いてきた。美しき佳きものによせる想いを綴るオマージュ。

姥ざかり花の旅笠 小田宅子の「東路日記」

江戸後期、筑前の大店のお内儀さん達が伊勢から江戸、日光、善光寺を巡る5ヶ月間八百里の知的冒険お買い物紀行。生気躍動する熟年女旅のゆたかな愉しさおもしろさが甦る！

夢の櫂《かい》こぎ どんぶらこ

「ハッピーかい？」「笑うか、泣くか」など、ぬいぐるみ哲学者の田辺先生が綴る〝天に口なし、ぬいぐるみをして言わしむ〟エッセイ集。深い洞察と寛容とユーモアがあたたかく心にしみる20章。

集英社文庫

愛《あい》を謳《うた》う

2008年8月25日　第1刷　　定価はカバーに表示してあります。

著　者　田辺聖子《たなべせいこ》

発行者　加藤　潤

発行所　株式会社　集英社

東京都千代田区一ツ橋2-5-10　〒101-8050

電話　03-3230-6095（編集）

03-3230-6393（販売）

03-3230-6080（読者係）

印　刷　中央精版印刷株式会社　株式会社美松堂

製　本　中央精版印刷株式会社

フォーマットデザイン　アリヤマデザインストア　　マークデザイン　居山浩二

造本には十分注意しておりますが、乱丁・落丁（本のページ順序の間違いや抜け落ち）の場合はお取り替え致します。購入された書店名を明記して小社読者係宛にお送り下さい。送料は小社負担でお取り替え致します。但し、古書店で購入したものについてはお取り替え出来ません。

ISBN978-4-08-746336-1 C0195